超級導覽員趣說博物館

河森堡 著

前言
如假包換活生生的時空隧道

幾年前，美國好萊塢拍過一部喜劇片《博物館驚魂夜》，引起了很多關注。大家一邊欣賞電影，一邊提出問題：「博物館是幹什麼的？博物館到底有什麼用？參觀博物館對我們現代人的意義是什麼？」

身為一個在博物館工作了很多年的人，我也時常被問。其實仔細想想，這確實是一個既嚴肅又詭異的話題——博物館到底有什麼用呢？藉此機會，我想對大家說說自己的觀點。

「保護文化遺產」、「保護文化多樣性」、「公益組織」……對於博物館的功能和價值，官方說法很多，多半都是老生常談，不再贅述。在我看來，博物館真正的功能和價值比這些更崇高、更偉大。

博物館保存著人類文明的「證據」，博物館的藏品展示著那些已經消失卻曾經無比璀璨的文明。在博物館裡，你可以看到人類怎樣一步步從遠古走到今天。

站在博物館的展廳裡，等於站在一條時光縱軸上，博物館是現實生活中的時空隧道，往前可以回顧人類從何處來，向後可以洞察我們將去往何方。存在於幾千年前的社會和生活、發生在幾萬公里以外的事情、歷經時間的考驗留存至今的藝術瑰寶，都可以用最短的時間體驗一遍。

在書裡，我將帶大家一起走遍世界上十幾座具有代表性且備受矚目的博物館。一方面，我會破解這些博物館裡不可錯過的鎮館之寶的祕密；另一方面，我會介紹與博物館有關的故事和趣聞。我也不會放過世界上那些為數眾多的奇怪博物館。我們將一起進行一場全球博物館漫遊，從中體會和感悟「博物館」這三個字對人類文明的價值和意義。

最後，我還想補充一點。編著這本書的初衷其實很簡單。首先，我希望從今以後大家能多多參觀博物館；其次，希望大家參觀博物館時知道該看什麼；再次，語音導覽裡沒講的事往往更有趣，而我想在書中講給大家聽；最後，與博物館藏品有關的不只是歷史知識，還有很多人文和自然科學領域的內容，希望透過這番講解，可以讓大家今後能用更多不同的角度看待一件文物或一段歷史。

博物館始於人類文明，並因人的好奇心而不斷發展。這讓我想起邱吉爾那句名言：「你可以看清多遠的過去，就意味著可以看清多遠的未來。」

引言

博物館的前生今世

帶領大家漫遊全球博物館之前，我想先講一講博物館本人。

今天通用的「博物館」一詞，源於日語的「博物館」（はくぶつかん）。英語的博物館是「museum」，這個 museum 怎麼來的呢？

Museum 的字根是「muse」，這是從希臘語、拉丁語一路演變過來的，意思是「繆斯」。繆斯在古希臘神話裡是掌管藝文和科技的九位女神之統稱，因此這個詞也就有了藝術、文學、科技，甚至靈感、神聖等很多種含義。

那麼，為什麼把博物館叫作「繆斯女神」呢？就要從博物館的起源說起了。而這與亞歷山大大帝有關。

從兩河文明時代開始，美索不達米亞平原地區很多王朝就已經有蒐集文物的習慣，不過真正把此事發揚光大的人卻是亞歷山大大帝。我們都知道，亞歷山大大帝的老師是古希臘大學者亞里斯多德。亞歷山大大帝非常佩服自己的老師，他在遠征途中搶奪了無數戰利品，金錢和美女賞給將士，藝術品和圖書則統統運回馬其頓送給亞里斯多德。於是，亞里斯多德開始整理和研究這些東西，成了他的習慣之一。

亞歷山大大帝死後，他的繼任者們雖然為了統治帝國打得你死我活，但都保留了這種掠奪文物的「傳統」。尤其是開創埃及托勒密王朝的大將托勒密一世（Ptolemy I Soter），在這方面幹得可是相當徹底。最後，托勒密把所有搶來的文物集中在埃及的亞歷山大城，興建了人類歷史上第一座博物館——繆斯神廟，同時興建的還有極為著名的亞歷山大圖書館。因為這個原因，以後的博物館便成了「繆斯神廟」，也叫「繆斯神殿」，所以今天把博物館叫作「museum」。

「繆斯神殿」可不簡單，大數學家阿基米德、歐幾里得都曾經在其中進行學術研究，是古代世界的絕對學術聖殿。雖說是學術聖殿，但骨子裡，博物館的出現其實有點「目的不純」。早期的博物館大多屬於這種情況——大部分都是某帝國掠奪來的各種文物存放處，與其說是供大家欣賞，不如說是用來炫耀戰利品的大型展示間。

其中最典型的就是大英博物館。大英帝國的輝煌讓英國人有了炫耀戰利品的資本，而大英博物館的誕生，最早則是受到漢斯．斯隆爵士（Sir Hans Sloane）一批死後捐贈的刺激。

今天談起斯隆爵士，所有人都知道他是一位大收藏家，很少人知道他是英國皇家學會會員，本職研究醫學，在一七二七年到一七四一年間當了十四年的皇家學會會長。而他的前任是從一七〇三年一直做到一七二七年的科學家牛頓。現在你是不是對斯隆爵士有點另眼相看了呢？

斯隆爵士在科學和其他方面的建樹遠比他捐獻的那些東西有價值。說起來有些人可能不相信——這位斯隆爵士曾經在牙買加為總督工作，發現牙買加當地人經常拿一種果實摻水喝，而且喝下這種混合飲品能讓人興奮起來。斯隆爵士不知道這種果實就是今天的可可，西班牙人在十六世紀初已把這種果實帶到了歐洲，但斯隆爵士當時沒見過，只是覺得這種果實很有意思，就設計了一種配方，把雞蛋、糖、牛奶、肉桂等香料和可可混合在一起。到了十九世紀，英國的約翰·吉百利（John Cadbury）在此配方基礎上進行改良，推出了今天隨處可見的吉百利牛奶巧克力。

除此以外，斯隆爵士還曾擔任安妮女王、喬治一世、喬治二世的御用醫生，他對天花、神經性頭痛、眼病等疾病都有研究，並推廣了治療瘧疾的奎寧。總之，斯隆爵士的人生標籤其實是醫生、博物學家、慈善家這一類，收藏只是他的業餘愛好。那麼他留了什麼給英國皇室呢？主要是一些自然標本、錢幣、徽章和各種手稿。這些照理說並不值錢，斯隆爵士的本意大概也只是想促進科學的進步。誰知道大英博物館蓋成沒多久就開始走調，各種搶來的寶物堆積如山，僅僅過了七十年就得再蓋規模更大的新館。

又過了六十多年，工作人員不得不把關於自然歷史的標本全部分出去，單獨成立博物館。一九九〇年，圖書、手稿這一類再分出去，單獨成立圖書館。可見大英博物館富有到什麼程度。

再回頭說亞歷山大那座「繆斯神殿」。在古希臘人後面接過文明傳承棒子的是古羅馬人，但他們只是要用古希臘文明的形式來標榜自己的文明，對於古希臘人的科學精神並不以為然。古羅馬人更注重技術，開創性的發現並不多。西塞羅曾說：「希臘人對科學尊崇備至，所以他們的每一項工作都獲得了出色的進展。我們卻把科學限定在對度量和計算有用的範圍內，不涉及其他。」繆斯神殿的功能因此改變，成了哲學辯論的場所。

再之後，經過了很多年戰爭，歐洲開始步入漫長的黑暗中世紀。這個特殊的歷史階段沒有催生出新的博物館。如果非要說有，只能說教堂就是博物館，與神無關的東西統統都是異端，不可能被收藏。

直到大航海時代和文藝復興時期，歐洲人才重新把博物館這個「好東西」撿回來。不過，那麼多年沒搞了，一開始有點走歪。首先是葡萄牙、西班牙、荷蘭這些航海國家，在大航海時代發了橫財，想炫耀自己多麼富有、多麼見多識廣，卻又不願冒險出去航海，就委託航海家幫忙「帶」——和今天的代購差不多——那時的銀行家們吃飽了沒事幹，就是下訂單給航海家。這次出海幫忙帶一隻兩公尺長的大海龜，下次出海幫忙帶幾張大猩猩皮……那時的著名航海家如阿貝爾・塔斯曼（Abel Tasman）、發現好望角的迪亞士（Bartolomeu Dias）等人，都接過這類活兒。甚至到了後來，他們航海時得帶上一兩位博物學家專門處理這些事。這種傳統一直延續到十九世紀，生物學家達爾文就是跟船滿世界跑的典型。

要這些大海龜、大猩猩皮做什麼呢？有錢人會專門弄一個房間，把這些東西擺在裡面或掛在牆上。這種房間有個名字叫「Cabinet of curiosities」，直譯是「好奇的櫃子」，多半譯為「萬寶櫃」或「奇蹟櫃」，是富人專屬打發時間之物。

這種風氣一直蔓延到十六世紀。人稱「藝術家皇帝」的神聖羅馬帝國皇帝魯道夫二世（Rudolf II）雖然不善於治理國家，但絕對是收藏界的頂級好手。鐘錶、繪畫、雕塑、古書、動植物標本、天球儀、地球儀，均有所藏。而且還有特定的收藏癖好，比如喜愛蒐集肚子裡有結石的動物標本、有毒甚至是劇毒的植物標本。此外，魯道夫二世迷信占星術、煉金術，喜歡各種神祕物件，藏品中最神祕莫測的就是有名的《伏尼契手稿》（*Voynich Manuscript*），一本兩百多頁的厚厚手抄書。一九一二年，一位叫伏尼契（Wilfrid Voynich）的波蘭書商發現了這本書，並在上面發現了魯道夫二世收購過的簽字。書的內容亂七八糟，比如一堆粗糙的裸體女人畫，大量莫名其妙的天體、宇宙和植物畫。最要命的是上面的文字既不像拉丁文也不像阿拉伯文，誰也看不懂，簡直比古埃及象形文字還難破譯。簡言之就是一本貨真價實的天書。

這本書打從被發現以後就沒人看得懂，許多知名破譯專家，包括在兩次世界大戰期間成功破譯敵國密碼的專家，都弄不懂這本書裡到底寫了什麼。最後大部分人得出一個結論——寫這本書的是外星人！一定是外星人！

直到二〇一四年，德國學者終於破譯《伏尼契手稿》。原來這是一本教人怎麼治療婦科疾病的醫療手冊，由於裡面結合了大量的中世紀巫術、煉金術、占星術等內容，所以才顯得如此神祕。至於那些神祕莫測的筆跡，其實都是拼湊來的醫案——搞了半天，從古至今，「醫生的字」就是那麼難懂！

為了這樣一本貌似神祕的書，魯道夫二世的所作所為雖說有些荒唐，卻做了一件對於後世博物館的發展而言很重要的事，那就是為收藏建立目錄。雖是無心插柳，但從這個時候開始，博物館的發展進入了科學管理的時代。

博物館的發展就是從這些惡趣味的私人收藏開始，大家互相攀比、互相顯擺。漸漸地，從商人到貴族，從鄉村到小城市，從城市到小國，一層層攀比下去，博物館就這樣「自下而上」慢慢地復興了起來。可見除了炫耀，那時的博物館還多了一個社交功能，和後來的藝術沙龍有點像。

從十六世紀開始，這種風氣成為歐洲帝王圈子的共同癖好。比如說，羅浮宮之所以能成為如此輝煌的博物館，法國國王法蘭索瓦一世（François I）貢獻很大。拿破崙更是變本加厲，把從歐洲各地弄來的藝術品全數塞進羅浮宮、楓丹白露或凡爾賽宮。再比如聖彼得堡的冬宮博物館是俄羅斯眾多重要博物館之一，最早是沙皇彼得大帝（Peter the Great）在歐洲遊歷時，因為酷愛科學技術，開始收藏各種自然標本，因此成立了自然科學博物館。

還有一種博物館則是隨著新興資產階級崛起而出現，義大利的烏菲茲美術館就是典型代表。不過到這個階段為止，博物館仍然是私有的，並未向大多數老百姓敞開大門。

世界上最早的公共博物館是英國的阿什莫林博物館（Ashmolean Museum），建於一六八三年。這家博物館之所以能公共化，主因是該館創始人臨終時要求博物館必須永遠對公眾免費開放。而此時雖然出現了公共博物館，博物館本身並未取得長足的發展，因為阻礙博物館發展的另一個重要瓶頸——科學保存技術——仍然未解。

收藏與保存是需要技術的，藝術品與書籍並不是隨便找個地方一擺就沒事。十九世紀發明了防腐劑、乾燥法和其他化學保存方法，讓收藏品的保存與管理進入新階段，從這時開始，公共博物館才真正呼之欲出。

今天我們能夠參觀公共博物館，有些甚至免費參觀，是一件值得慶幸的事。倒不是說博物館高不可攀，而是博物館從私人擁有到公共化的這條路並不輕鬆。十八世紀，大英博物館剛剛開放，每天只允許三十人參觀，參觀之前還得先找人寫介紹信。另一方面，最早一批向公眾開放的博物館後來又紛紛關上了開放的大門。為什麼？因為這些博物館的創始人認為來參觀的普通老百姓目不識丁，什麼都不懂，面對如此輝煌燦爛的人類文明成果不但不尊重，還指指點點，甚至亂摸、搞破壞，博物館既然是「繆斯神殿」，怎麼能對這些人開放？

美國才是真正點燃公共博物館風氣的國家。相對於那些老牌的歐洲國家，新生的美國顯得更開明，一大批博物館爭先恐後地湧現。大都會藝術博物館就是其中代表。不得不說明的是，在這個時期，大部分奔向博物館的普通美國人都只是附庸風雅而已。馬克・吐溫就公開嘲笑過大都會藝術博物館。

也不能怪馬克．吐溫，不光是美國，當時其他國家的很多博物館與其說是博物館，還不如說是馬戲團。江湖騙子隨便弄幾根骨頭就敢冒充是古動物的化石；隨便找幾個貝殼，拿起斧頭和鑿刀改裝一下就大吹法螺。這類情況比比皆是，騙人買票參觀罷了。那個年代各種造假頻傳，就連大英博物館都受過騙。著名的「皮爾當人」（Piltdown Man）就是典型案例。

一九一二年，大英博物館地質部主任伍德沃德（Arthur Smith Woodward）的朋友來找他，說自己和另一個朋友合夥，在皮爾當郡發現了一種古人類的化石碎片，頭蓋骨、下頜骨、牙齒，一應俱全。拿來一研究，伍德沃德無比震驚——原來這種古人類的腦容量和現代人差不多，下頜與牙齒則和猿很像，是介於人和猿之間的「原始人」！多少年了，一直找不到由猿演化為人的直接證據，這個發現簡直太偉大了！消息一出馬上引起轟動，兩位所謂的「發現者」還因此受封為爵士，全英國的科學雜誌都誇讚不已。結果在一九五三年，科學家經過仔細鑑定後發現，所謂的「原始人」頭蓋骨是中世紀古人的，下頜骨和牙齒則是紅毛猩猩的。造假者把兩部分打磨後拼接在一起，「皮爾當人」就閃亮登場了！

對於博物館的發展來說，這是一個很混亂的階段，美國人甚至稱之為「博物館泡沫」期。今天回頭冷靜想想，任何一個行業恐怕都經歷過這種「野蠻生長」的發展時期。而且，正是這種野蠻生長才讓博物館的概念深入人心。

一八四六年，美國政府資助的史密森學會（Smithsonian Institution），也就是美國博物館學會成立。該學會反思和總結了博物館的發展歷史，為現代博物館下了定義——組織成公共或私人的非營利機構，永久性地以教育和審美為目標。直到此時，真正意義上的現代博物館才出現在世人面前。

從帝王的炫耀到上流社會的攀比，從野草式馬戲團，再到現代的公益機構，博物館不知不覺也走過了好幾千年。今天，博物館已經成為記錄過去的文明之光，同時又啟迪著未來的文明，成為世人學習、掌握、分享知識的聖殿。這一切，來之不易。

Contents

目次

British Museum

CHAPTER 1

當之無愧的龍頭老大：
大英博物館

大英博物館共有藏品八百多萬件，包羅萬象，其價值之高、種類之豐富，世人難以想像。代表古老東方文明的木乃伊、羅塞塔石碑，以及中國文物，都是館藏中極其重要的一部分。

有個詞叫「第一聯想」，比如問到「中國最有名的建築？」大部分人的第一聯想是萬里長城。而一提起「博物館」，但凡對這三個字有所了解的人，第一聯想恐怕都會指向大英博物館。經常看到如世界四大博物館、世界十大博物館之類的評比，不管是「四大」或「十大」，大英博物館肯定位列其中，而且多半都是第一個被介紹的，可見它確實是全球博物館界當之無愧的龍頭老大。

大英博物館能夠成為世界博物館之首，到底厲害在哪裡？提供幾個數字就能明白。首先要說明，博物館的大小不是看占地面積，而是比較藏品的多寡。如果按占地面積來計算，北京故宮肯定是世界上最大的博物館，足足有七十二萬平方公尺，而根據二〇一六年官方統計資料，北京故宮的藏品有一百八十多萬件。大英博物館呢？八百多萬件。多到大英博物館本館都裝不下，只好暫時放在其他博物館裡。目前我們在大英博物館看到的藏品僅是其所有藏品的一％。換句話說，還有九十九％的藏品，你根本就沒機會看到。

除了數量，還有品質。大英博物館藏品價值之高、種類之豐富，常人難以想像。其包羅萬象的程度，可說是一片藏品海洋。而在琳瑯滿目的藏品裡，大英博物館最出名的藏品是屍體。更精確點說是歷史很悠久的屍體。沒錯，就是木乃伊。

大英博物館鳥瞰圖

木乃伊：比埃及的收藏還驚人

大英博物館一共有十個分館，其中最出名也最具代表性的就是埃及文物館。該館是大英博物館裡最大的分館，擁有十萬餘件古埃及文物，包括了碑刻、雕像，木乃伊無疑是其中最神祕也最吸引人的。

受好萊塢電影或一些藝術作品影響，很多人覺得木乃伊很玄。我看過報導說，如果驚動木乃伊會受到詛咒。那麼，真實的木乃伊到底是什麼樣子呢？真的像傳說中那樣玄嗎？就讓我從最「玄」的一具木乃伊開始說起吧。

大英博物館裡有一具木乃伊，編號EA22542，即大名鼎鼎的「Unlucky Mummy」是也，也就是「不幸的木乃伊」或「喪氣的木乃伊」。關於它的故事曾在網上紅極一時，至今還在流傳。先是在一八六〇年前後，四個英國人連同精美的公墓一起把該木乃伊買了下來。沒多久，這幾個英國人不是死於意外，就是死於窮困潦倒，從那之後，誰擁有這具木乃伊，誰就會遭遇不幸。「Unlucky Mummy」最有名的故事是什麼呢？一九一二年，鐵達尼號載著這具木乃伊，結果第一次出航就撞上冰山，沉沒在大西洋裡。

這些故事聽起來確實精彩，以至於大英博物館在自家官網介紹這具木乃伊時也會提到。故事可以有傳奇色彩，但我們必須對事實負責。「Unlucky Mummy」確實存在，據說生前是古埃及的女祭司，但相關的神祕故事很多是子虛烏有或後人牽強附會。如果這具木乃伊真的和鐵達尼號一起沉入海裡，現在大英博物館裡展出的這具木乃伊又是從哪來的？難道是從鐵達尼號的殘骸撈出來的嗎？

事實是，這具木乃伊除了一九九〇年曾經短時間在其他地方展出之外，並沒有離開過大英博物館。這些神神鬼鬼的故事如此有市場、如此受歡迎，至少說明了一件事——木乃伊在人們心中帶有強烈的神祕色彩。好萊塢就拍過許多木乃伊相關電影，名片《X戰警：天啟》裡也有豐富的木乃伊元素。木乃伊、吸血鬼、狼人都已成為神祕的文化符號。

不過，要是你知道木乃伊一詞的真正含義，可能會有些失望。「Mummy」來自古波斯語，這個詞最開始是指「瀝青」，也就是鋪馬路用的材料。所謂的「木乃伊」，最初指的無非就是用瀝青這類東西處理屍體的一種方式。而古埃及真正用來處理屍體的東西比瀝青高級多了，主要是用香料斂藏屍體，日久天長以後，屍體就會脫水乾癟，形成乾屍（木乃伊）。

死了以後還要這麼折騰，主要是因為古埃及人相信，人是由肉體和看不見的靈魂構成

Unlucky Mummy

的。他們認為人死後，靈魂是不死的，當靈魂和肉體在死後世界重逢時，死者就會復活，並得到永恆的生命。為了讓人在另一個世界裡永生，古埃及人特別熱衷於製作木乃伊。很多人以為只有法老死後才會被做成木乃伊，其實並不是，一般老百姓也會自己製作木乃伊。畢竟木乃伊是他們對永生的一種追求，法老追求永生，平民也追求永生，只不過兩者的製作水準相差很多。現今大英博物館的木乃伊保存之完好、價值之高，穩居全球之冠，主要來自於當年大英帝國的對外擴張。大英博物館裡收藏的木乃伊比現在埃及人自己收藏的木乃伊還要多、還要好，埃及本國收藏的木乃伊在價值上是無法比擬的。

有些人可能會覺得奇怪，木乃伊不就是乾屍嗎？有什麼好看的？馬上就來解說一下看木乃伊的相關重點。

很多人參觀時都會發現，身上的裹屍布被解開、屍體完全暴露在外的木乃伊並不多，大部分木乃伊都被裝在精美的棺木裡。原來，古埃及人製作木乃伊的技術同

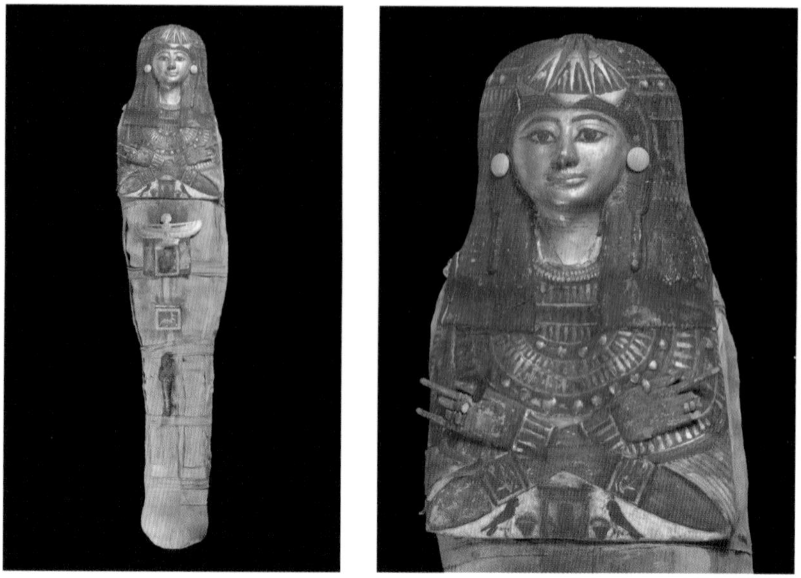

Katebet 木乃伊

樣經過漫長的發展，一開始保存屍體的方式極其簡單，僅使用乾燥、滾燙的沙土。到了西元前三一〇〇年前後的前王朝時期，保存方式開始變得複雜，出現了用泥磚製作的墓葬，也出現了用草席或柳條包裹屍體的方法。到了西元前二〇五五～一六五〇年前後的中王國時期，開始出現今日常看到、被設計成人形的棺材，並會利用棺木裝飾展現死者生前的樣貌。透過木乃伊的屍體，我們能夠分析和推斷出距今幾千年前古埃及人的身高、體重等情況和生活條件。透過裹屍布等隨葬品，也能看到當時的工藝技術水準，並看到古埃及人的宗教信仰和精神世界。

說到古埃及木乃伊的棺木製作水準，不得不提一下名為「Katebet」的木乃伊。這具同樣出名的木乃伊也是大英博物館的鎮館之寶之一。Katebet 木乃伊生前是阿蒙神廟的一位歌女，也就是在宗教儀式裡唱歌、演奏的神職人員，她死時已經是老太太了，嘴裡只剩兩顆牙。而這具木乃伊之所以特別出名，正是因為陳列屍體的棺木太過精美。

Katebet 木乃伊採用罩頭的彩繪，一張鍍金的臉部上方戴

霍尼吉提夫木乃伊內棺上部

有一頂精心製作的假髮，還有一副白色耳環，交叉的雙手上戴著真正的戒指，而不是畫上去的，整體只能用「華美」才足以形容。要知道，這具木乃伊的定年是西元前一三〇〇年前後，大概是盤庚遷殷的時候。在那樣遙遠的時代已有如此精美、令人嘆為觀止的製作工藝，古埃及文明的發達程度可見一斑。如果不是親眼看到，真的很難想像。

大英博物館裡保存的木乃伊數量非常多，每一具都有自己的故事。比如大祭司霍尼吉提夫木乃伊。

與 Katebet 木乃伊相比，霍尼吉提夫木乃伊的定年晚很多，大約是西元前三世紀前後，木乃伊的主人是名叫霍尼吉提夫（Hornedjitef）的大祭司。在BBC和大英博物館聯手推出的《看得到的世界史》（*A History of the World in 100 Objects*）節目裡，大英博物館館長親自撰寫了它的介紹，可見其價值。

由於年代較晚，這具木乃伊的裝飾比 Katebet 木乃伊更精美。最外邊是巨大的黑色人形槨，裡面是精心裝飾的內棺，再往裡就是木乃伊，簡直是一整套完整的俄羅斯娃娃，也大大提高了這具木乃伊的價值。

這具木乃伊於一八三五年被運到大英博物館。那時古埃及象形文字剛剛被破譯，所以人們看得懂棺槨上的銘文，知道這具木乃伊生前是誰、是什麼職位，還知道他掌握了哪些宗教知識。霍尼吉提夫木乃伊生前是卡拉克神廟的高級祭司。在古埃及，祭司的地位非常崇高，解釋了為什麼這具棺槨裝飾得如此華美。祭司屬於神職人員，所以其棺槨到處都是古埃及咒語、護身符，還記載了很多法術，甚至有一幅描繪天堂的畫。

隨著科學技術的進步，透過這具霍尼吉提夫木乃伊，我們還知道了更多關於古埃及的資訊。比如這具棺槨的製作材料不只來自古埃及境內，塗在上面類似黑色柏油的東西來自古埃及及時代的死海一帶。換言之，古埃及至少在西元前三世紀已有多元文明，其貿易網絡的發達程度，遠遠超出我們最初的想像。

此外，說到霍尼吉提夫木乃伊棺槨上的古埃及象形文字，大家是否知道，古埃及象形文字曾經是一種「死文字」，失傳了一千多年。至於後來我們如何重新學會這種古文字，就不得不提到大英博物館另一件鎮館之寶——羅塞塔石碑。

如果說木乃伊讓我們了解古埃及人如何看待死而復生，羅塞塔石碑將讓我們了解古埃及文字如何死而復生。

羅塞塔石碑：排名首位的大英鎮館之寶

一踏入大英博物館的埃及文物館，首先映入眼簾的就是一塊其貌不揚的大石頭。為什麼這塊石頭會擺在如此顯眼的位置？千萬不可小看它，因為這塊石頭正是大英博物館排名首位的鎮館之寶——羅塞塔石碑。

羅塞塔石碑的外表一點都不特別，與那些精美的木乃伊棺木更是完全沒得比。這塊普通的黑色玄武岩重七百六十二公斤，相當於一輛輕型超跑，但它的體積並不大，高一百一十四．四公分，相當於一張單人床的寬度；寬七十二．三公分，約是一臺冰箱的寬度；厚二十七．九公分，大約是四十五號鞋的長度。

有意思的是，雖然這塊石碑現在放在大英博物館，但最早是法國人發現它的，而英國人為了得到它可費了不少功夫。一七九八年拿破崙進攻埃及時，他手下的軍官偶然間發現了這塊石碑，因為是在埃及羅塞塔發現的，就稱為羅塞塔石碑。沒過多久，拿破崙發動霧月政變，留在埃及的法軍群龍無首，很快就成為英國人的俘虜，拿破崙搜刮的一大堆埃及文物自然也落入了英國人手裡。法國人認為，雖然打輸，這些文物仍應屬於法國。雙方就此事爭論不休。

最後，英、法雙方不得不坐下來談判。一八〇一年九月，雙方簽訂《亞歷山大條約》（*Capitulation of Alexandria*），條約第十六條規定，英國人可以帶走包括石碑在內的文物，納為英國國王喬治三世的私人財產，但允許法國學者保留石碑拓片和相關研究資料。

不過，其他文物可以交出去，法國人就是不甘心交出羅塞塔石碑，撤退時悄悄把石碑藏在一艘小船上，打算偷偷運走。但拿破崙的軍隊在陸地上完全不懼英軍，在海上卻不是英國人的對手。英國軍艦很快就發現了藏在小船上的羅塞塔石碑，這塊石碑也正式成為英國人的囊中之物，最後以英王的名義捐贈給大英博物館。

這塊石頭到底有什麼過人之處，值得兩個歐洲強國如此勾心鬥角？

答案是石碑上的文字。羅塞塔石碑之所以獨一無二、有著不可替代的價值，就在於石碑上一共刻了三種文字。首先是古埃及的「聖書體」，這種文字大多用於神殿或法老的墳墓；其次是埃及草書世俗體，一種在古埃及被廣泛使用的文字；最後是古希臘文。

癥結點來自被寫在石碑最上面的聖書體，這種古埃及象形文字在西元四世紀左右就已失傳，如今羅塞塔石碑使用聖書體、埃及草書、古希臘文三種文字分別書寫同一篇內容，有了三種文字的相互參照，就有可能透過這塊貌不驚人的石碑，破譯早已失傳的古埃及象形文字。

發現這塊大石頭之前，人們已有近十四個世紀看不懂古埃及象形文字了，而埃及境內仍有大量由古埃及象形文字鐫刻或書寫的古蹟。由於文字失傳，後來的人只能像看天書一樣看著這些古蹟，完全不清楚文字的意思。五千多年前那個神祕、悠遠、燦爛的古文明，恰恰就隱藏在這種神祕的文字之中。破解文字，等於握住了通往古埃及時光隧道的鑰匙；憑藉文字，就能回到那個令人神往的古埃及文明時代，甚至再現曾經輝煌燦爛的古代文明，這難道

羅塞塔石碑

不誘人嗎？

經過以法國學者商博良（Jean-François Champollion）為首的一批學者嘔心瀝血的研究，憑藉羅塞塔石碑留下的資料，十九世紀上半葉，人們終於破解了這些宛如天書的「密碼」，完整翻譯出羅塞塔石碑的內容。羅塞塔石碑的成功破譯，為後來的古埃及象形文字研究打開了一扇窗戶。隨著研究的深入，古埃及的棺木、雕像、建築上的各種神祕古埃及文明資訊，也逐步揭開了神祕的面紗。完整的古埃及文明，由於羅塞塔石碑，完全浮出了水面。

研究羅塞塔石碑讓後來的學者逐步掌握了古埃及象形文字。但是，掌握一種文字，而且還是一度失傳的古代文字，到底意味著什麼？有什麼特殊的意義嗎？換句話說，研究古代文字到底有什麼用？

文字是一個時代的紀錄，是參考價值極高的確切資料。如果連一個時代的文字都看不懂，我們將無法想像那個時代究竟發生過什麼，一切只能是想像和神話。

另外，了解了古文字的起源，也就能了解架構文字的思維模式，進而了解人類如何接受和理解文字。對於我們不斷改進和發明更新、更快、更好的資訊交流技術，有著不可估量的作用，對於符號學、密碼學的發展同樣不可低估。值得一提的是，直到今天，大英博物館埃及文物館還有一個小組專門修復和研究古埃及文。

藉由羅塞塔石碑，人們可以把象形文字和已知的文字互相對照，從而有了很多令人驚訝的發現。比如，此前學者一直以為埃及象形文字是簡單地以形表義，石碑卻讓人意識到，象形文字也具有表音的作用。這表示文字的功能至少在那時就已趨於完善。和之前的楔形文字相比，此時的文字已經不再是「單純讓你明白是怎麼回事」的符號，而是「不僅明白是什麼意思，而且看了就能讀出來」的音義結合體，從一定程度上解釋了為什麼古埃及文明的影響力那麼大。能夠表音的文字，傳播力肯定比只能寫出來給人看才明白的文字強多了。

那麼，羅塞塔石碑到底說了些什麼呢？

石碑上的文字於一八二二年已經逐漸被翻譯出來。原來石碑上的內容並不稀奇，不過就是一塊「帝王功德碑」罷了，完全是為了當時的法老托勒密五世吹牛用的，通篇都在歌頌法老的功德。曾有人說，羅塞塔石碑是托勒密五世的登基詔書，但從內容上來看，更像是托勒密五世一生的總結。

雖然石碑上的內容看似無聊，但對於我們來說，羅塞塔石碑的意義卻是偉大的。憑藉這塊石碑，最終破譯了古埃及文明，這恐怕是托勒密五世和其同時代的人永遠想不到的。

大英博物館的埃及文物館分為木乃伊館和埃及建築館，從人面獅身像石雕、廟宇建築，到碑文壁畫、鐫石器皿、古代首飾等，是名副其實的古埃及文明世界縮影。遊覽大英博物館必訪埃及文物館，就像去羅浮宮一定要看名畫《蒙娜麗莎》一樣。「參觀大英博物館，不看埃及真遺憾。」

奧克瑟斯寶藏：波斯第一帝國的寶物

提到古文明，我們總愛說「四大文明古國」，世界上哪幾個國家或地區配得上「世界四大文明古國」的說法，國際上一直有爭議。然而，不管怎麼吵，發源於幼發拉底河和底格里斯河之間的美索不達米亞文明，又稱兩河文明，幾乎都位列其中。

遺憾的是，和古埃及文明相比，很多人對兩河文明知之甚少，畢竟它距離我們似乎太遙遠了。

但若從實際情況出發，會發現兩河文明其實離我們並不遠。在生活中，只要用心，仍能見到兩河文明的痕跡。舉個例子，知名歌手周杰倫早年有首歌叫〈愛在西元前〉，裡面就有很多兩河文明的元素，比如「我給你的愛寫在西元前，深埋在美索不達米亞平原」等。除了這首歌，世界上第一座城市、第一部法律、第一個陶器的陶輪，都是兩河文明的產物。兩河文明也是最早闡述創造世界和大洪水神話的文明，而最貼近日常生活的兩河文明遺跡則是一個星期分為七天。

古巴比倫、蘇美、阿卡德、亞述等都集中在兩河流域。兩河流域雖然文明成堆，但規模一直不大。蘇美文明、阿卡德文明、烏爾文明、新舊巴比倫文明、亞述文明、米底文明等，雖然都很輝煌，但都沒有形成大帝國。因為在那個遙遠的年代，生產力還不夠發達，不具備形成大帝國的條件。

這種情況一直持續到西元前五五九年，居魯士二世統一整個兩河流域並建立了阿契美尼德王朝後，此地的文明才徹底擴張為一個大帝國。阿契美尼德王朝就是波斯第一帝國，也就是電影《三〇〇壯士：斯巴達的逆襲》裡，與斯巴達三百勇士對抗的那個大帝國。

不得不說，好萊塢把西方文明誇得過於強大了。事實上，相較於零零碎碎的古希臘小城邦國家，波斯第一帝國才是當之無愧的巨無霸。這個帝國大到什麼程度呢？極盛之時，波斯第一帝國的最東邊已經與中國的新疆接壤，疆域遼闊程度可想而知。整個小亞細亞、巴爾幹半島全是它的領土。

如此強大的帝國，生產力之強大不難想像，而奧克瑟斯寶藏（Oxus Treasure）呢，就是來自波斯第一帝國的產物。

所謂的奧克瑟斯寶藏，指的是總共一百七十件大小不一的金屬製品，被發現於塔赫提庫瓦德（Takht-i Kuwad，今塔吉克斯坦南部）地區，大部分是金銀器，製作年代大概是西元前五世紀到前四世紀，相當於春秋中後期。這些器具裡既有實用器具，也有宗教禮儀用具，如瓶、人像、臂釧、馬車模型、印章、指環等，目前大部分都收藏在大英博物館的古代伊朗展

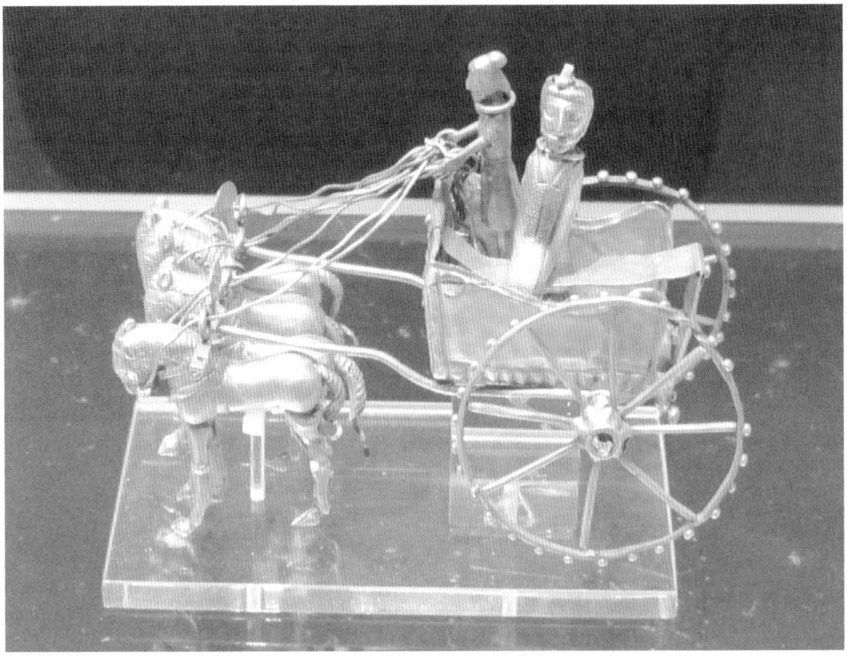

奧克瑟斯兩輪馬車模型

廳裡。

一百七十件器具裡，讓人印象最深刻的無疑是兩輪馬車模型。這個不大的馬車模型和我們在模型店或汽車精品店裡看到的大小差不多，長度只有約十九公分，堪稱當年「頂級車款」。通體由黃金製成，纖毫畢現，製作十分考究。靠著這個精美無比的模型，我們可以毫不費力地還原出一輛當年的古波斯兩輪馬車。

首先，這輛車是古代的「四輪驅動」，用了四匹馬一起拉，四個軛分別套住四匹馬的脖子，再連接到由一根橫木製成的「衡」上，直接與車體上的「軔」連接（暫且使用古代中國的馬車結構術語）。車斗上坐著一位司機，也就是馬車夫，他手裡拿著一大把韁繩，牽引、控制著這些馬。

坐車的是一個個頭更大的人物。個頭大，代表這個人的身分更尊貴。只見他留著漂亮的連鬢大鬍子，穿著華麗的衣服，穿著當時典型的米底人服飾。可是他坐在馬車裡的方位卻有點奇怪，因為這個大人物側著坐，並沒有面朝馬車前進的方向，而是側過身來，面朝馬車左側。

為什麼呢？和宗教習慣或社會習慣有關嗎？都不是。

馬車操縱馬匹的方式，古代中國稱之為「繫駕法」，波斯這種將馬車的四個軛直接套在馬脖子上的繫駕法顯然不怎麼科學，因為轠繩的受力點在馬脖子，容易壓迫馬的氣管，馬跑快了很容易窒息。中國的繫駕法從很早開始，轠繩的受力點就已經挪到馬的肩胛骨，讓馬所受的壓力小很多。受力點的位置愈往下移動，馬車的重心愈低，也就愈穩定。後來到南宋時，馬車已經變成鞍模式，繩子穿過馬背上的馬鞍後繫在馬肩，基本上算是解決了行車不穩的問題。在那個年代，鞍模式的繫駕法就和今天的低底盤跑車一樣，是又快又穩的法拉利。

了解這些後，回頭再看奧克瑟斯寶藏的純金馬車，它的繫駕法還是套住馬脖子，所以行車不會太穩。車裡那位大人物之所以側坐，是為了增加乘坐時的穩定性。

這輛純金馬車之所以是兩輪馬車，而不是四輪馬車，也有科學依據。古代沒有前輪轉向、後輪驅動，四輪馬車的轉向性顯然不如兩輪馬車那麼好。直到古凱爾特人、古羅馬人的時代，四輪馬車的轉向裝置才開始發展起來。

除了黃金馬車模型，奧克瑟斯寶藏還包含了非常精美的黃金手環、臂章、寶劍、印章、指環等。以奧克瑟斯金牌來說，這塊金牌上刻著一位米堤亞人，似乎在參加某種宗教儀式。其淺浮雕全部是鏨刻，也就是陽刻，整個人物在金牌上是凸出來的。不是簡單的陰刻，而是更加複雜的陽刻，可見當年波斯帝國金銀製品的工藝水準多麼先進。正因為有這些珍貴的文

奧克瑟斯金牌

物，透過上面鏨刻的人物形象，我們可以知道古波斯人到底長什麼樣子、裝束如何、鬍子怎麼留、劍怎麼佩戴。

最有意思的是，奧克瑟斯寶藏並不是考古發掘得來。據說，這批寶藏一開始是商人從當地人手裡收購而來，卻在行商路上被土匪搶劫。土匪獲得寶藏後，沿路挖坑，把寶藏埋了起來，以便日後再挖出來處理。結果駐紮在當地的英國上尉聽說了這件事，幫助商人打跑土匪，並把寶藏挖了出來。知道有這麼一批寶藏的存在，英國人很重視，就從商人手裡買下來，後來全進了大英博物館。

這批寶藏為什麼叫「奧克瑟斯寶藏」呢？這批寶藏具體的出土地點已經無法確定，只知道大概是在塔吉克斯坦境內南部。根據口頭流傳，人們都說這些寶藏來自阿姆河流域，由於阿姆河原叫「奧克瑟斯河」，這批藏品因此得名「奧克瑟斯寶藏」。

相對於古埃及，波斯帝國的位置更東邊。前面說過，鼎盛時期的波斯帝國，東邊已與新疆接壤。大英博物館裡有沒有中國文物呢？有的。事實上，大英博物館裡的中國文物，或叫「東方文物」，是其館藏中極為重要的一部分。

《女史箴圖》和敦煌壁畫：中國的悲涼

身為世界上首屈一指的頂級博物館，大英博物館的藏品如此之多，從客觀上看，確實為人類保存了大量的文明遺產。若從另一個角度看，這些藏品，或者說一部分藏品，其實取得方式並不正當，是伴隨著英國的殖民擴張而掠奪來的。前面提到的古埃及木乃伊、羅塞塔石碑和奧克瑟斯寶藏，無一例外，都是以非正當的方式來到大英博物館。這些文物的確向全世界展示了人類的文明成果，但是它們被放入大英博物館的過程，也伴隨了戰火和其他民族的苦難。

英國從十七世紀末到十八世紀中期迅速崛起，最終取代了西班牙，成為第二代「日不落帝國」。尤其是經歷工業革命後，到了維多利亞時代，英國的國力達到鼎盛。一九一三年，大英帝國人口總數已超過四．二億，約占當時世界人口二十三％。到了一九二〇年，國土面積廣達三千五百五十萬平方公里，約占地球陸地總面積二十四％。今日大英博物館的藏品如此之多、如此精良，大部分直接得益於英國的全球性擴張，大量藏品來自沒落的文明古國如古埃及、古希臘和古羅馬，當然還有中國。

大英博物館裡來自中國的文物浩如煙海，數不勝數。根據聯合國教科文組織的統計資料顯示，流失在全球的中國文物多達一百六十四萬件，其中只有十分之一被全球的四十七家博物館收藏，其他大批文物都在私人收藏家手中。

這四十七家博物館中，大英博物館收藏最多，其中最具代表性的兩件文物是《女史箴圖》和敦煌經卷。

東晉大畫家顧愷之名作《女史箴圖》，今天已是大英博物館的鎮館之寶之一。需要先說

《女史箴圖》

明的是，這幅畫的原作其實早已遺失，正常情況是看不到的。

北京故宮也收藏了一幅《女史箴圖》，是宋墓裡發現的宋代摹本。大英博物館的《女史箴圖》則是唐代摹本。相比之下，大英博物館收藏的版本藝術價值要高得多，據説非常接近顧愷之原作的神韻。

不過，「女史箴」這三個字到底是什麼意思？「箴」字上面是一個「竹」字，下面是一個「咸」字。「咸」是紮緊封口之意，再加上竹字頭，就有「縫紉、縫上」的意思。經過引申，意指「勸誡、規勸」，比如《紅樓夢》有一回叫「賢襲人嬌嗔箴寶玉，俏平兒軟語救賈璉」。「女史」一詞今日在日本依然被使用著，意指古代宮廷裡的婦女。「女史箴」三個字連在一起，大概不脫宮廷婦女道德教育的範疇。〈女史箴〉本來是一篇文章，是西晉文學家張華為了規勸當時的皇后賈南風而寫。

賈南風是晉惠帝司馬衷的皇后、晉武帝司馬炎的兒媳婦。雄才大略的晉武帝是司馬懿的孫子，也是晉朝的締造者，正是他終結了三國。只不過他的兒子晉惠帝卻是位無能的君主，明末思想家王夫之如此評價：「惠帝之愚，古今無匹。」而他的妻子賈皇后不但相貌醜陋，還極度淫亂。若熟悉晉朝後來的歷史就知道，晉朝的亡國和賈南風也有關係。

總之，這篇規勸賈南風的〈女史箴〉裡，張華列舉了很多古代婦女的賢德事蹟，而顧愷之這幅《女史箴圖》就是用來解釋這篇文章的，意思和現今的插圖差不多。大概是顧愷之覺得這篇文章不錯，很適合用繪畫表現。

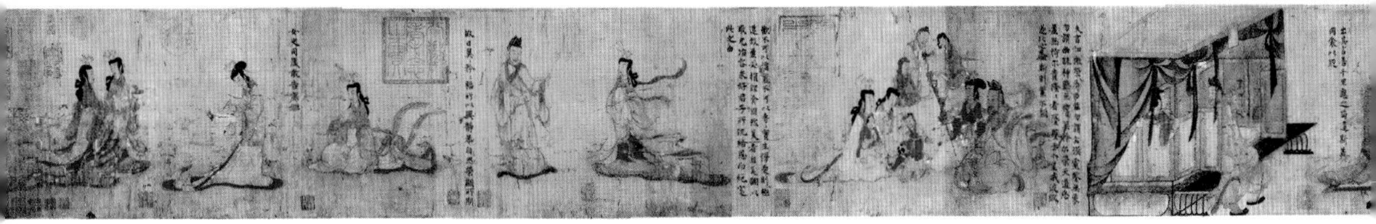

《女史箴圖》全長三・四八二公尺，寬二十四・八公分，一共分成九段內容。張華當初創作的〈女史箴〉文章共有十二段，顧愷之的圖也有十二段，後來遺失了三段。

很多人認為所謂的文物就是年代久遠的物品，這其實是一個很大的誤會。真正的文物在它被創造出來時已有很高的價值，並隨著時間的流逝，價值愈來愈高，尤其是書畫這類藝術品。《女史箴圖》就是如此。這幅圖並非因為年代久遠所以是一幅名畫，在中國歷史上，它早就非常有價值了。列舉一下誰收藏過這幅畫，你就知道它的價值。宋徽宗、嚴嵩、董其昌等人都收藏過。到了清朝，這幅畫流入乾隆皇帝手中，一直是他的心頭寶，據說他隔三岔五就拿出來看一看，愛不釋手。

一九〇〇年八國聯軍打進北京城，一個叫詹森（Captain Clarence A.K. Johnson）的英國上尉從頤和園搶走了這幅畫。不了解其真正價值的詹森上尉回到英國後，用二十五英鎊把這幅名畫賣給了大英博物館。由於缺乏保存中國古畫的相關知識，大英博物館竟用裝裱日本畫的方式處理，導致《女史箴圖》被分成兩部分，並出現了剝落的現象。

雖然不是顧愷之原作，但畫中人物無論是動作還是神態，的確讓人身臨其境。具體來說，《女史箴圖》鮮明的藝術特色有三。首先，它突破了此前的傳統畫法，已經認識到畫人時需要注意人體比例。畫裡的人物若站著，身高幾乎都在六到七個頭之間；若坐著，身高約四個半頭左右。其次，畫家對於人物細節的描畫非常傳神。畫中人物眾多，有的剛毅，有的尷尬，有的掃興，有的沉穩，一句旁白都沒有，完全靠著畫技就把故事全部表達了出來，而且大量出現四分之三側面的人物，瞬間凸顯了立體感。最後，它的創作手法採用了大量連綿的線條，勾畫極其細膩，後人稱讚此畫的筆法「春蠶浮空，流水行地」，堪稱神作。

《女史箴圖》只是大英博物館裡海量的中國文物之一，和這幅畫的命運相似，同樣深具代表性的還有來自敦煌的經卷。這些敦煌經卷被發現的過程本身就十分傳奇。

清朝光緒年間，有一個名叫王圓籙的道士，從家鄉湖北麻城雲遊到了敦煌，在登三危山時發現了莫高窟，因為覺得此地是個聖境，決定在此修行。王圓籙非常熱愛莫高窟，為了保護莫高窟到處奔走，省吃儉用，據說光是清理現今莫高窟第十六窟的淤泥就花了近兩年。有一天，他正在清理第十六窟的淤泥時，無意中發現石窟牆壁裂了一條縫。出於好奇，他扒著牆一看，立即傻眼。原來裡面正是後來震驚全世界的敦煌卷子，其中各種經卷就多達數萬卷。除此之外，裡面還有大量的佛像等文物。

這些經卷為什麼會被藏在牆壁裡呢？原來北宋仁宗時，為了防範西夏蠻夷的入侵，當時的僧人把大量的經卷、佛像和其他文物全部封存在泥牆後面，外面再畫上壁畫偽裝，這批寶貴的文物就在牆後沉睡了一千多年。

王圓籙到處奔走，請求各地官員幫忙保護這批文物，甚至寫信給慈禧老佛爺，均無結果。到了一九〇七年，知名英國探險家斯坦因（Marc Aurel Stein）來到了莫高窟，身為一名「文物販子」的他當然了解這些文物的精確價值。這裡必須先說明，王圓籙本人並不了解這些東西的價值。總之，斯坦因先後分兩次從王圓籙那裡騙走了大量的經卷，而這些經卷甫一

敦煌經卷之一：唐代金剛經

亮相，立刻引起轟動。世界各地所謂的探險家們紛紛跑到中國來，要嘛騙、要嘛買，或者乾脆搶，數以萬計的寶貴經卷就這樣流失海外，流到了英國、法國、美國、俄國、日本，直到一九一〇年前後，這股「瘋狂洗劫」才算告一段落。到底流失了多少呢？僅僅大英博物館就收藏了一萬三千七百件文物，占全世界敦煌文物總數的三分之一，而且都是敦煌經卷的精品。

這批文物的價值之高是很難想像的。首先，在書寫上，經卷使用了幾乎當時所有民族的文字，包括梵文、藏文、回鶻文等，研究價值不言而喻。其次，在形式上，卷軸本、經折本、蝴蝶裝本，應有盡有。最後，經卷內容幾乎涵蓋了一切與佛教有關的內容。不僅如此，還包括了大量的史書、政治書、地理志，可說是研究中國古代文化的巨大寶庫。今天，在大英博物館的圖書館裡，我們不但能看到很多敦煌經卷，還能看到大量來自敦煌的壁畫、佛像。這些文物大多品相精美，是敦煌文物中的上品，流失海外，確實叫人非常痛心。

大英博物館負責掌管中國古籍的漢學家吳芳思曾經表示，她不會捨不得歸還中國文物。多年來也一直傾心研究中國文化，著書立說，對於傳播中國文化貢獻很大。二〇一七年的一則報導說，大英博物館修復了藏經洞出土的巨幅刺繡《釋迦牟尼靈鷲山說法圖》，並將修復過程拍成影片，每週播出。這部紀錄片讓我們看到大英博物館對待文物的科學和嚴謹態度，從分析當年的染料成分到細膩入微的修復技法，極為專業。

對於歷史上的掠奪與今天的保護並存，到底應該怎麼看待呢？

我認為這些文物只要不是母國合法政府主動出讓或出售的，它就永遠屬於母國。這是文物的主權問題，沒有任何討論或迴旋的餘地。但是從文物保護的角度來看，無論文物來自哪裡，都是全人類的共同財產，其學術價值和研究成果屬於全世界。也就是說，文物有國界，但文物的價值沒有國界。

Musée du Louvre

CHAPTER 2

為戰爭而建：法國羅浮宮博物館

最早的羅浮宮不是用來住，更不是用來展出藝術品，而是一座為戰爭而建的城堡。羅浮宮的藏品雖然只有四十多萬件，但其中很多件舉世聞名，比如《蒙娜麗莎》、《勝利女神》和《斷臂維納斯》。

一提起羅浮宮，就想起一部非常紅的電影《達文西密碼》，這部片在全球各地都產生了巨大的影響，故事的開頭和結尾都發生在羅浮宮，羅浮宮博物館也因此蒙上了一層神祕的面紗。

為戰爭而建，為藝術而生

事實上，羅浮宮一開始並不是一座博物館，至少不是按照博物館的標準建造的。最初的羅浮宮是一座為戰爭而建的城堡。換句話說，最早的羅浮宮不是用來住人，更不是像現在用來展出藝術品，而是用來打仗的。那時約莫是中國南宋，整個西方世界關注的焦點全在十字軍東征，看到這種情形，法國國王腓力二世（Philippe II Auguste）想藉由參加戰爭擴大統治範圍，因此決定出兵，為了在出兵之前保護自家財產，防範敵人進攻，就在當時的巴黎城外修建了一座城堡，把家眷、財寶等藏在堡裡，這就是羅浮宮的前身。

動工興建羅浮宮時的法國是個典型的封建國家，也就是一大群封建貴族集中在一起的聯合體。國王只能在自己的直屬領地上收稅養兵，貴族在自己的領地上擁有絕對主權，國王無權干涉。由此可見當時所謂的國王，充其量就是貴族們承認並擁護的一個代表而已。國王如果不聽話，被貴族廢除也不是不可能。

腓力二世是路易七世之子。路易七世去世時，只給十五歲的腓力二世留下很少的領地。

羅浮宮夜景

這塊領地今天被稱為「法蘭西島」。雖然名叫法蘭西島，泛指的是今天巴黎附近大概一千二百平方公里的土地。一千二百平方公里多大？就和上海旁邊的崇明島差不多。可見法蘭西國王名義上是國王，真正擁有的領土範圍極小。而且就連這麼一小塊土地也不完全歸腓力二世個人所有，而是由腓力二世及其親屬在內的諸多封建貴族共同擁有。

腓力二世的法蘭西島被這些小貴族們分割得四分五裂不說，更要命的是，占據最多領地的人還是金雀花王朝的英國國王亨利二世（Henry II Curmantle）。這對於習慣中國史的人簡直不可思議，在西歐中世紀封建制度下卻一點也不奇怪。亨利二世擁有的法國領地甚至比其他所有法國封建貴族的領土加起來還多，相當於今天法國國土面積的三分之二左右，不難理解腓力二世為什麼想出兵打仗。但放眼四顧，既被各封建貴族環繞，還毗鄰虎視眈眈的金雀花王朝，打仗前當然得蓋座堡壘以防萬一。

結果恐怕連腓力二世自己都沒想到，堡壘動工還不到兩年，一一九二年，第三次十字軍東征結束了。神聖羅馬帝國的腓特烈大帝意外死亡，英國的理查一世和伊斯蘭世界的薩拉丁大帝打得兩敗俱傷。腓力二世趁整個歐洲亂成一團，外交和軍事雙管齊下，一點一滴收回領地，後來總算擁有了整個法蘭西。可以說，法國的國土基礎就是在腓力二世手裡打下來的。

隨著腓力二世的領地收回得愈來愈多，羅浮宮自然漸漸算不上邊境領地，原本劍拔弩張的局勢也不復存。後來這座堡壘的功能就漸漸變了，一開始用來放置宮廷財產，後來乾脆連犯人也關了進去。隨著法國國王的領地愈來愈大，羅浮宮周圍承擔城市生活功能的區域也愈來愈大，羅浮宮就這麼慢慢變成了市中心。到了路易十四在位時，由於路易十四好大喜功，拚盡力氣在全歐洲蒐集各式各樣的藝術品，蒐回來後通通藏入羅浮宮。結果等到波瀾壯闊的法國大革命於一七八九年爆發後，王室的宮廷就成了老百姓的財產，路易十四的藏品全都變成公共博物館的藏品。從這時開始，羅浮宮就漸漸變成了博物館。

拿破崙在位時，羅浮宮的藏品又增加了不少。拿破崙是個藝術修養很高的人，也是個收藏狂人。他在歐洲各處征戰，源源不斷地把各種藝術品帶回羅浮宮。這些藝術品雖然後來被各國追回了一部分，大部分還是留了下來。他的侄子拿破崙三世同樣是藝術品收藏狂熱分子，很多中國的寶物，特別是圓明園裡的珍寶，都是拿破崙三世在位時被帶到羅浮宮的。

就這樣，在漫長的數百年中，羅浮宮的藝術品愈來愈多，宮殿本身也經歷了多次翻修，從最初的軍事堡壘變成王室的宮廷，如今又變成屬於大眾的藝術聖地。羅浮宮的館藏約為四十萬件，與擁有八百多萬件藏品的大英博物館相比，數量似乎太少了。享有如此國際盛名的博物館，怎麼才這麼一點收藏？道理很簡單：裝不下。這和前面講的羅浮宮興建過程有關。

對於最初只是軍事堡壘，後來慢慢擴張成博物館的羅浮宮來說，四十萬件左右的藏品已經擠得滿滿當當，幾乎連下腳的地方都沒有。

舉個例子吧。羅浮宮的鎮館之寶之一《勝利女神》如此重要，當初卻被放在樓梯間頂樓的小過道，通常只有淘汰的爛桌爛椅才會如此處理。堂堂世界級珍寶被塞在過道，真令人難以置信！

其實羅浮宮的管理一直都很糟糕，不只一次被盜就和這種混亂的管理脫不了關係。直到一九八〇年徹底改造之前，除了混亂的管理，糟糕的服務也到了讓人難以忍受的程度。那時羅浮宮沒有停車場，也沒有電梯和詢問處，甚至連接待大廳和咖啡館都沒有。即便今天我們去參觀羅浮宮，還是會發現這種情況並沒有被徹底解決。

由於和世界第一流博物館的身分嚴重不符，一九八〇年，法國政府決心翻修羅浮宮，當時的法國總統密特朗特別邀請了著名的美籍華裔建築大師貝聿銘來主持羅浮宮的翻修改建工程。

法國人向來對於品味特別有底氣、特別有自信，覺得自己是世界上最有藝術細胞的民族。他們認為原裝就是最好的，之後再好的東西都是對原有文化的破壞和褻瀆，更何況是羅浮宮，破壞一丁點都是極大的損失。貝聿銘到底是位建築大師，提出了一個看來匪夷所思的方案——把服務設施全部蓋在地下，讓羅浮宮現存的部分幾乎不用改動，這個聰明的法子一下子就獲得法國民眾的認可。時至今日，這個龐大卻精巧的地下系統已經成為羅浮宮讓法國

羅浮宮金字塔夜景

人引以為傲的一部分，不但設施齊全，地下停車場還能停放一千輛小汽車、五十輛大客車。

不過，貝聿銘的改建計畫之一還是激怒了法國人，那就是羅浮宮入口處的玻璃金字塔。這座金字塔現在如此知名，可說是羅浮宮的一大景觀、世界級地標之一。一開始興建時，法國人卻不接受。有人挖苦說，它既毀了羅浮宮，又毀了金字塔。當時的民調顯示，高達九成巴黎人都反對建造這座玻璃金字塔。

貝聿銘解決這個問題的方式也很特別，他先在羅浮宮門口搭一座尺寸一模一樣的玻璃金字塔模型，然後邀請六萬名巴黎市民來參觀。結果，奇蹟發生了。看完這個模型，幾乎所有人的態度都轉變了，金字塔也順利興建起來。

這座玻璃金字塔高約二十一公尺，寬三十四公尺，每個側面由六百七十三塊菱形玻璃構成，總平面面積近一千平方公尺，塔身重達二百噸，其中光是玻璃就淨重一〇五噸，相當於兩輛主戰坦克。負責承載玻璃的金屬支架則只有九十五噸，負荷已遠遠超過了自身的重量。

不得不說，這座精巧的玻璃結構體除了展現力學之美，也反映了巴黎不斷變化的天空，並為地下設施提供良好的採光，讓羅浮宮從一座原本暮氣沉沉的古老宮殿，成為極具現代氣息的藝術博物館。古老又神聖的建築、現代化的服務設施、珍藏的各種藝術瑰寶，全部融合在一起，相得益彰，賦予羅浮宮穿越古今的獨特魅力。這次的改建工程是如此出色，也讓貝聿銘獲得了建築界的最高榮譽普利茲克建築獎。

《蒙娜麗莎》：至今未解之謎

羅浮宮雖說只有四十萬件左右的館藏，但和大英博物館不同，其藏品主要以藝術品為主。而其中最為人熟知、舉世聞名的就是《蒙娜麗莎》、《勝利女神》和《斷臂維納斯》，謂之「鎮館三寶」。羅浮宮裡收藏的各類藝術珍品數不勝數，比如亞洲展覽館裡大名鼎鼎的《漢摩拉比法典》、古波斯阿契美尼德時代的《弓箭手簷壁》、古埃及古王國時期的《盤腿而坐的書吏》等，件件都是無價之寶。儘管如此，若和「鎮館三寶」相比，它們的光芒還是略遜一籌，可想而知這三件藝術瑰寶有多麼耀眼、多麼出眾。而在這三件作品裡，毫無疑問的超級明星當然是《蒙娜麗莎》。據統計，光是二〇一七年，專程從世界各地到羅浮宮看《蒙娜麗莎》的遊客就有八百一十萬人。

所以說，介紹羅浮宮卻不提《蒙娜麗莎》是不可能的，但介紹《蒙娜麗莎》非常不容易，因為關於《蒙娜麗莎》的故事實在太多了。若再說一遍那些耳熟能詳的故事，相信大家會覺得無味，因此我想聊聊和這幅畫有關卻鮮為人知的話題。

首先，大家會發現《蒙娜麗莎》的位置非常好找。畢竟是鎮館之寶，全世界來羅浮宮的人都會看一看，自然顯眼。親眼見過《蒙娜麗莎》原作的人都知道，這幅畫不大，高七十七公分，寬五十三公分，和露營用的汽車小冰箱差不多。這幅畫被防彈玻璃罩住，陳列在羅浮宮二樓德農館的牆上。這面牆上只有這一幅畫，顯得孤零零的。若再加上周圍裡三層外三層的觀眾，看起來就顯得更小了。

達文西創作《蒙娜麗莎》時是畫在一塊黑色的楊木板上，尺寸則是按照文藝復興時期創作肖像畫的標準。誰也沒想到這幅畫居然會被這麼多人圍觀。如果當年達文西能想到這一點，應該會把這幅畫畫得大一些吧。

從創作年代來看，普遍認為這幅畫的創作時間是一五〇三年到一五〇七年。不過隨著科學技術的發展，這個說法如今受到了質疑。因為在時間的推移之中，人們發現所謂的《蒙娜麗莎》並不是一個單獨的版本。科學家用X光掃描後發現，底下竟然還有另一幅畫，也就是一五〇三年創作的《麗莎．格拉迪尼肖像》。經過還原技術，我們可看到這幅畫原來的樣子。畫中的女士雖然面容酷似今天的《蒙娜麗莎》，但眉眼之間的表情更柔和，看起來相對年輕。熟悉這幅名畫的人都知道，《蒙娜麗莎》的女子臉上有一種說不清道不明、特別難拿捏的表情。

《蒙娜麗莎》

有人用軟體分析她的表情後說，蒙娜麗莎臉上的情緒有八十三％是高興，九％是厭惡，六％是恐懼，二％是憤怒。據說在現實生活中，不會有人做出這種表情。而藏在底下的《麗莎·格拉迪尼肖像》卻不是這樣，畫中女子臉上洋溢著幸福。

與達文西同時期的另一位畫家拉斐爾看到《蒙娜麗莎》之後，畫了一張該幅畫的速寫。拉斐爾的速寫完成於一五〇九年，如果把速寫與《麗莎·格拉迪尼肖像》放在一起比對會發現，拉斐爾的速寫臨摹的很可能是《麗莎·格拉迪尼肖像》，而不是我們現在看到的《蒙娜麗莎》。如果真的是這樣子，就說明至少在一五〇九年，我們今天看到的《蒙娜麗莎》還沒有被創造出來。

隨著研究的層層深入，研究人員發現《麗莎·格拉迪尼肖像》底下竟然還有畫像！如今我們已可判定，這幅畫前前後後一共被創作了四次。

最早的一層是輪廓的草稿，畫家可能覺得不好，放棄了。然後在這草稿上創作了另一幅肖像畫。第三層則是

《艾爾沃斯蒙娜麗莎》

《麗莎．格拉迪尼肖像》。換句話說，畫家不知道為什麼又重回最初的主題，把第二層完全無關的人物肖像用油彩蓋住，畫了《麗莎．格拉迪尼肖像》。最後，也就是最上面的第四層，畫家在《麗莎．格拉迪尼肖像》上面又畫了一層，這才是我們今天看到的《蒙娜麗莎》。

不僅如此，一九一三年，英國人發現了另一個版本的《蒙娜麗莎》，畫中女子的長相、服飾、首飾與我們熟知的《蒙娜麗莎》非常相似，只不過顯得特別年輕，只有十幾歲的樣子。這個版本後來被稱為《艾爾沃斯蒙娜麗莎》（*Isleworth Mona Lisa*）。之後美國人又發現另一個版本，相貌與羅浮宮那一幅非常相似，只不過沒有微笑。《不微笑的蒙娜麗莎》（*La Gioconda*）和《艾爾沃斯蒙娜麗莎》這兩幅畫到現在都難辨真偽。有人堅持這是達文西的真跡，有人認為這是和達文西同時代的人的偽作。再加上羅浮宮這一幅，總共出現了好幾個版本，實在令人困惑。

同一幅畫畫了好幾個版本，《蒙娜麗莎》這幅畫到底是同一個人物在不同年齡的寫真，還是這個人物被附加了完全不同的樣子，又或是不同的畫家根據同一個模特兒創作的不同作品？千古謎團雖然一時難解，達文西登峰造極的創作水準卻毋庸置疑。

有人分析，達文西創作這幅作品時，使用的很可能不是畫筆。那時候很多畫家都是徒手作畫，亦即用手指頭蘸顏料，直接在畫板上塗抹。科學研究發現，《蒙娜麗莎》從最底層到表面覆蓋了厚達三十層塗料，每層塗料多厚呢？僅僅四十微米。就連拉斐爾也臨摹過它，顯然同樣讚嘆有加。這一切都說明了《蒙娜麗莎》水準之高。

在創作上，《蒙娜麗莎》極具開創性。整幅畫都沒有特別清晰的線條，所有的邊緣都漸漸融合在一起，尤其是人物的眼角和嘴角。再加上達文西使用了當時較為少見的化學原料，讓這幅畫看上去非常立體，不像畫，反倒給人一種照片的感覺。

有人總結了欣賞《蒙娜麗莎》的方法。首先，盯著蒙娜麗莎嘴角的位置，你會發現她其實沒怎麼笑。如果你盯著她的眼睛，再用餘光看她的臉頰，又會發現她好像在笑。再仔細一看，還會發現她的左肩稍微有點下沉，她的身體並不是嚴格的左右對稱。而她身後的背景呢，以人物本身為界，左邊和右邊的風景也不太一樣。左邊的地平線低，右邊的地平線高。有人說左邊是傾斜四十五度的鳥瞰視角，右邊則是遠景透視的平視視角。

為什麼會這樣？有人說這是暗喻天堂和地獄，把達文西和耶穌聖杯等神祕元素拉在一起。有的研究者認為畫家或許是利用如此巧妙又不易察覺的構圖方式，讓整幅畫的比例非常穩定，使畫面達到最和諧的狀態。曾經有人試圖把蒙娜麗莎本人的肖像分離出來放在風景左右對稱的背景裡，因此發現了彷彿朝向一邊傾斜這件事。

文藝復興時期的達文西用這種神祕的方式來作畫，即便今天看來也讓人覺得有些匪夷所思。達文西很喜歡這幅畫，晚年應法國國王法蘭索瓦一世的邀請前往法國時，據說隨身攜帶了三幅他最珍愛的作品，分別是《聖母子》、《聖安娜和施洗者約翰》、《蒙娜麗莎》。達文西最後死於法國，他的後人就把這幅畫賣給法國王室，幾經輾轉，最終放入了羅浮宮。然而，即使成為羅浮宮展品，這幅畫當時僅在藝術圈裡非常有名，對於普羅大眾來說只不過是一幅世界名畫。

真正讓《蒙娜麗莎》聲名大噪的是一九一一年的盜竊案。從這件事開始，這幅畫才算是走進大眾的視野，成為世界著名的文化符號之一。只不過被盜固然轟動一時，真實盜竊過程卻無比單純。二十世紀初期的羅浮宮管理混亂，盜畫者叫佩魯賈（Vincenzo Peruggia），是一名在羅浮宮工作的義大利維修工人。他趁著閉館時混了進去，原本就是博物館請來的工人，對館內的方位和設施都很熟悉，而且《蒙娜麗莎》外面的玻璃罩子就是他安裝的，自然輕而易舉就把畫偷走了。

但是，佩魯賈為什麼要偷《蒙娜麗莎》呢？不是為了錢，而是因為他是義大利愛國主義者。據說他後來被診斷有輕微的精神疾病。佩魯賈認為《蒙娜麗莎》是義大利的國寶，憑什麼掛在法國人的博物館？不行，得讓它回歸祖國，於是他下手偷畫並帶回了義大利。很快地，佩魯賈賣畫時被義大利的畫商告發，義大利政府聯絡法國政府，把《蒙娜麗莎》還給了羅浮宮。有意思的是，佩魯賈確實偷了畫，卻在義大利成為民族英雄，人人都誇他愛國。甚至傳言他當時藏身的小旅館今天已成為很多藝術愛好者朝聖的聖地。

這件竊案無形中為《蒙娜麗莎》做了一個大廣告。據說《蒙娜麗莎》剛被盜時，法國人全都陷入悲痛，被盜的八月二十一日甚至被定為國難日，直到今天法國人還會紀念這個日子。動作這麼大，很快就讓這幅畫變得舉世聞名。

那麼，畫中女士到底是何方神聖呢？這幅畫叫《蒙娜麗莎》，「蒙娜」在法語裡是「女士」的意思，所以這幅畫應該是「麗莎女士」。但，麗莎女士到底是誰？起初大家多半認為麗莎女士的名字叫作麗莎．喬宮多（Lisa del Giocondo），是當時一位佛羅倫斯富有絲綢商人之妻。而這位絲綢商人，據考證有可能是達文西父親的朋友。

不過後來出現了很多種說法。有人認為麗莎女士是達文西摯愛的一位妓女，也有人說麗莎女士就是達文西本人。若把達文西的自畫像和麗莎女士的臉對照一番，會發現兩者特別神似，彷彿是同一個人。還有人說，「蒙娜麗莎」是埃及的兩位神明，指的是古埃及掌管男性的神阿蒙（Amon）和掌管女性的神伊西斯（Isis），合在一起暗示的則是男女同體，不分雌雄。當然，也有人說這是達文西用來暗示自己是雙性戀或同性戀。更離奇的說法甚至認為這幅作品畫的不是女人，而是達文西的男性助手打扮成女性的樣子。

有意思的是，以上這些說法都不是憑空捏造，提出說法的人或多或少都拿出了一些證據，使得這件事直到今天都是未解之謎。

現今，這幅文藝復興時期的無價之寶就這麼靜靜地懸掛在羅浮宮裡。有關它的種種謎團，有的可能會在未來被揭開，有的可能會像麗莎女士的微笑那樣永遠神祕。這幅凝聚了一代傳奇大師達文西心血的傑作，就這樣神祕地凝視著我們，笑看世上的萬千變化，我們也能感受到偉大藝術作品的魅力。《蒙娜麗莎》就像一杯精神上的美酒，甘醇可口，令人回味無窮、如痴如醉。

《斷臂維納斯》：無人接得上的雙臂

再來說《斷臂維納斯》，又名《米洛的維納斯》，這應該是一件大家都很熟悉的西方雕塑作品。法國大藝術家羅丹曾說：「這件作品表達了古代最了不起的靈感。」言外之意，這是件「此曲只應天上有」的神作。

有些人看到這尊維納斯的第一印象是「怎麼這麼胖？」的確，華人通常喜歡女性纖弱、文靜，青睞林黛玉那種弱柳扶風式美人。西方人則認為眼前這尊維納斯雕像性感又豐滿，橢圓形的臉蛋、又高又直的鼻梁、平額、扁桃形眼睛，是古希臘人眼中的標準美女。大部分西方人都認為這尊雕像呈現出一種驚人之美。雖然缺了兩臂，卻給人一種完好無損的感覺，而且無論從何種角度欣賞都相當迷人。

《斷臂維納斯》

這尊雕像這種神祕的、讓人捉摸不透的美，到底是從哪裡來的呢？針對這個問題，美術家、雕塑家的說法比較感性，倒是數學家給了許多極具說服力的見解。

首先是比例。這尊維納斯雕像高二百零四公分，頭部和身長之間的比例正好是一：七，頭一、身七，也就是我們常說的「八頭身」，恰恰好符合了黃金分割原則。這尊雕像不僅是頭身比例處理得當，別的部分也非常符合比例。比如，肩寬四十四公分，是整個身長的二十%；胸圍一百二十一公分，約是身長的六十%；臀圍一百二十九公分，大概是身長的六十五%，整尊雕像的比例極為穩定、和諧。同時告訴我們，真正的體型美有一定的比例，不是鞋跟愈高愈好、身材比例愈誇張愈好。

其次是結構。維納斯女神的站姿整個扭曲向上，呈現出一種螺旋上升的結構。這個結構很有意思，大到宇宙中星系的形狀，小到我們身邊的漩渦、槍膛裡的來福線*，甚至我們體內的ＤＮＡ都是這種結構。這種結構具有十分獨特的力學優勢，也是為什麼我們怎麼看這尊雕像，都找不出讓人覺得不舒服之處的原因。

大部分人都知道，這尊雕像塑造的是「愛與美的女神」，古羅馬神話叫她「維納斯」（Venus），古希臘神話叫她「阿芙蘿黛蒂」（Aphrodite）。既然是愛與美的女神，怎麼會沒有胳膊？這尊雕像原本當然有胳膊，而迄今為止，也有無數雕塑家和藝術家提供了自認最完美的方案，試圖接上「維納斯斷掉的手臂」，但不管是什麼方案，效果似乎都不如現在的樣子好。

這兩條胳膊原來是什麼樣子？維納斯又怎麼會失去兩條胳膊呢？

這就要從這尊雕像的發現過程講起了。希臘的米洛斯島上有一座古代劇場的遺跡，一八二〇年春天，這座劇場的地面突然塌陷了。附近一個名叫波托尼斯（Yorgos Bottonis）的農夫正在進行農事，看到塌陷的地面十分好奇，走了下去，結果發現洞穴裡有座神龕，龕上供著這尊大型雕像，還有其他一些大小不一的大理石雕像。

消息很快傳到當時法國駐米洛斯島的領事布萊斯特（Louis Brest）耳裡。領事大人跑來一看非常興奮，對波托尼斯表示願意出高價買下。結果波托尼斯獅子大開口，雖然真正的數字今天已不得而知，但數目不小。領事大人太想得到這尊無價之寶，趕緊寫信給上司，要求緊急撥款。

只不過，當時的希臘屬於鄂圖曼帝國，法國大使館位於君士坦丁堡（今土耳其伊斯坦堡），領事大人寫給上司的報告得上呈到君士坦丁堡。結果，不知是因為路途遙遠還是官僚系統，報告發出後宛如泥牛入海，毫無消息。足足兩個月之後，法國大使館才派祕書馬賽留斯伯爵（Comte de Marcellus）趕往米洛斯島，並要他不惜一切代價拿下這尊雕像。

由於拖太久了，發現雕像的農夫波托尼斯早就等得不耐煩。正好希臘王子聽說這件事後也想要雕像，而且出手大方，和波托尼斯一拍即合。等馬賽留斯伯爵匆匆趕到米洛斯島時，

＊來福線是槍管中的膛線，可以讓子彈產生自轉，提高子彈射出後在飛行時的穩定度。

維納斯雕像早被裝入貨船，準備啟運。

馬賽留斯伯爵立馬找上米洛斯島當局投訴，還說希臘王子給多少錢，他也給多少錢。他代表法國政府一施壓，希臘王子不情不願退出爭奪，法國人最終搶到了雕像。可是沒多久又出了事。裝有雕像的貨船屬於土耳其，卻掛著希臘旗，船上水手都是土耳其人和法國人。很可能是因為等得不耐煩，互相埋怨，兩國水手之間發生衝突，一百多個大漢大打出手，刀槍並舉，鬧得不小。

由於雕像已被法國買走，土耳其人原本的裝船計畫自然取消，雕像得從船上卸下來，裝上車交給法國人運走。就在水手們打架時，維納斯雕像已被搬上馬車，結果一陣亂，雕像掉下馬車，就這樣摔斷了兩條胳膊。

肯定有人會問，既然法國這麼重視這尊雕像，維納斯的胳膊就算斷了也得拿回來，怎麼會弄丟呢？其實以上這個「發現維納斯」的故事只是眾多說法版本之一。若從發現過程來看，這個版本算是相對完整，當時的具體細節已難考證。有的版本連英國也牽扯了進來。總之，真相究竟如何，目前還沒有確切的說法。

有人翻閱了馬賽留斯伯爵的回憶錄，據其記載，維納斯不但有兩條胳膊，雙耳還戴著耳環。其中，維納斯的右臂下垂，手拉衣襟，好像正在拉住下滑的下半身衣物；左臂上伸，高舉過頭頂，握著一顆象徵愛情和智慧的蘋果。有的專家認為這個描述十分貼切，應該是雕像的原貌無誤，因為既符合古希臘神話中對於愛與美之神的形象描寫，手拉下滑衣物的姿勢也符合螺旋上升的態勢。只不過這份回憶錄也不能說完全沒問題，如果當事人對雕像原貌如此清楚，還是放著兩條摔斷的胳膊不拿回法國，未免太沒有說服力了。

根據研究，這尊雕像很有可能當年被發現時就已兩臂殘缺。至於為什麼，各種野史和傳說很多。有人甚至編造，當初雕塑家完成雕像後請人來看，結果大家都說兩條手臂最好，雕刻家就把兩條手臂砸了，因為他希望人們專注於女神之美，而不是她的手臂。當然，這個故事明顯站不住腳。只要仔細觀察雕像就會發現，女神肩部有明顯的接榫結構，即便真有這麼一位雕刻家想去掉手臂，毋須那麼激動用錘子砸，直接拆掉即可。

至於斷臂之前的維納斯到底是什麼姿勢，至今莫衷一是。有人認為她拿著蘋果，有人認為她拿著鏡子、長矛、盾牌……德國考古學家福爾托溫古拉認為女神其中一條胳膊很可能是搭在一根柱子上，柱子年久倒塌，胳膊也就隨之斷了。近年研究則發現，維納斯很可能正在紡紗，她真正的姿勢應該是右手拿著紗線，左手拿著棉纖維。為什麼？因為這尊雕像創作於西元前一百年左右，那時維納斯不但是愛和美之神，也是性愛之神。而那個時代，妓女日常做得最多的事情就是紡紗。許多出土的古希臘花瓶上都有和維納斯雕像相似的圖案。

雖然眾說紛紜，但維納斯為什麼斷臂、斷臂之前的姿勢為何，恐怕永遠都是一個謎。連這尊雕像刻的到底是不是維納斯，學者們都沒有明確的證據，他們只是透過推測，認為這是維納斯罷了。不過這些都不重要，重要的是這尊雕像的的確確是古希臘時代的藝術傑作，為我們帶來了遙遠又神祕的美感。

至於斷臂嘛，在古代雕塑中根本就不是件新鮮事。羅浮宮裡還有好幾位「維納斯」，比如《阿爾勒的維納斯》，《阿芙蘿黛蒂雕塑的殘軀》更是頭和四肢都沒有，只剩軀幹。接下來要介紹的《勝利女神》同樣殘缺不全，而且比維納斯更殘破。

缺頭少臂仍無損價值的《勝利女神》

《勝利女神》又名《薩莫色雷斯島的勝利女神》。這位女神的羅馬名字寫出來你肯定很熟悉「Victoria」，也就是維多利亞，英文「勝利」（victory）一詞與它一脈相承。有趣的是，這位女神的古希臘名字念出來是「奈姬」，寫成「NIKJ」，是不是與某個運動品牌很像？沒錯，NIKE的名字正源於此。

這尊雕像於一八六三年在愛琴海北部的薩莫色雷斯島被發現。剛被發現時，經過風吹雨淋的雕像早已變成碎塊，經過多年修復才重新站了起來，卻仍缺頭少臂。一九五〇年找到了一隻手臂，剩下的部分至今不知所蹤。

《斷臂維納斯》的基座刻有銘文：「美安德羅河畔、安屈克亞的阿歷山德羅斯（Alexandros of Antioch）作。」讓我們得以知道這位傑出的古代藝術大師的名字。《勝利女神》的創作者卻無從考證，創作年代也是直到今天都沒有最後定論。不過，大多數專家都認為，這尊雕像應該創作於西元前二百年左右，是小亞細亞統治者德米特里一世（Demetrius I

《勝利女神》

Poliorketes）為了紀念他在海戰中打敗托勒密王國的艦隊而創作的。

這座雕像最早矗立在薩莫色雷斯島海邊的懸崖上，長年面對著蒼茫的大海。這具純白色的雪花石雕塑因為長期浸泡在愛琴海中，浪翻、浪湧，再加上微生物的作用與海水的侵蝕，成為如今我們見到的歷盡滄桑狀態。

在崇尚神話的時代裡，勝利女神這類題材多不勝數，為什麼只有這一尊成為羅浮宮的「鎮館三寶」之一？主要還是因為這尊雕像與眾不同，藝術成就遠高於其他同類題材。

別的不說，這尊雕像的設計極其精巧。底座不是簡單的石墩，而是設計成一艘乘風破浪的戰船船頭，與後世很多軍艦的船首有異曲同工之妙。

勝利女神就站在船頭，宛若天神下凡，又像一面矗立在戰艦最前方迎風飄揚的戰旗，讓人一看到這尊雕像就彷彿置身於波瀾壯闊的大海，不自禁地熱血沸騰。任何一個親眼見過《勝利女神》像的人都會深切感受到那種英姿勃發、大氣磅礴。

我最欣賞的則是構圖。勝利女神的衣角向後飄揚，展開的雙翅朝後伸展，有點像現今的後掠翼飛機，線條極其流暢。有專家指出，這尊雕像——尤其是腿和雙翼之間——衣服的波浪構成了一個鈍角三角形，增強了前進的態勢。在此，藝術家展現出極高的藝術技巧，在較為注重寫實雕塑的古希臘時代裡實屬獨一無二。明明是一尊古典雕像，卻已有現代雕塑的感覺。被海風吹起的薄薄衣裙緊貼女神健美又勻稱的身體，健壯的肢體、流暢的運動感、光芒四射的青春活力，全部表現得極為完美。即便沒有頭和雙臂，每一個欣賞過的人，彷彿都被注入了無窮的青春活力。

一開始介紹羅浮宮時就說過，這件珍寶最初被收藏在樓梯間。《勝利女神》現在還是在樓梯間，不過展示手法高明了許多，被單獨放在一個樓梯平臺上，周圍沒有其他展品，再加上底座超過三公尺的高度，參觀者只能仰望。相隔千年，當我們站在這尊曾經破碎成一百五十多塊的雕像面前時，仍能清楚感受那雄偉的氣勢。

如夢似幻的羅浮宮收藏的絕不僅這三件鎮館之寶，其藏品之豐富，文化藝術價值之高，只有親身前往一遊，才能有更真切的感受。

CHAPTER 3

美國式商業精神：美國大都會藝術博物館

大都會藝術博物館與大英博物館和羅浮宮明顯不同，它有著濃厚的美國味。這座博物館不是完全私立的，也不是帝王的財產，而是由一群商人和銀行家打造而成，甚至參與了商業運營。

Metropolitan Museum of Art

美國大都會藝術博物館有三百多萬件藏品，一共有五個大展廳，二百四十八間陳列室，展品包括建築、雕塑、繪畫、陶瓷器、金屬製品、家具、武器、盔甲等，應有盡有。值得一提的是，大都會藝術博物館也是藏有較多中國文物的世界級博物館之一，收藏了包括唐代畫馬名家韓幹《照夜白圖》、元代洪洞廣勝寺壁畫《藥師經變》等精品。

若和大英博物館、羅浮宮比較，會發現大都會藝術博物館的「美國味」相當濃厚。首先，這間博物館的性質有點微妙。如果說大英博物館是一間巨大的戰利品陳列室，羅浮宮是一座藝術寶庫，大都會藝術博物館就是一個商業機構，將那種特有的美國式奮鬥和美式商業精神展現得淋漓盡致。

大都會藝術博物館位於紐約第五大道八十二號。如果華爾街是這座城市的金融中心，百老匯是娛樂中心，第五大道就是景點一條街，帝國大廈、紐約公共圖書館、洛克菲勒中心、聖派翠克教堂、中央公園……紐約所有值得一看的景點，幾乎都在這條大道上。此外，除了大都會藝術博物館，第五大道還集中了惠特尼美術館、古根漢美術館、庫柏休伊特設計博物館，被稱為「藝術館大道」。

別的不說，大都會藝術博物館就和另外兩家博物館構成了一個博物館區塊。向西，只需要幾分鐘公車路程，就是美國自然史博物館；旁邊不遠則是海頓天文館。三館遙遙相對，無形中形成了「博物館聯合體」。有看大自然的地方，有看宇宙的地方，還有看人類的地方，再加上紐約是聯合國總部所在地，美國人為大都會藝術博物館寫下了這句文案：「在大都會

美國大都會藝術博物館

藝術博物館看人類的過去，在聯合國看人類的未來。」

據二〇一六年一項調查顯示，大都會藝術博物館光是二〇一五年就為紐約市創造了九億四千六百萬美元的收入。而那一年，外籍遊客在紐約的總旅遊花費是五十四億一千萬美元，大都會藝術博物館就占了超過六分之一！紐約州政府從中獲得的稅款高達九千四百六十萬美元。

一間「創業成功」的博物館

雖然和古根漢美術館等私人博物館相比，大都會藝術博物館並不是完全私立，但也不是帝王私產，而是不折不扣的公民財產。前面說過的大英博物館和羅浮宮，其創辦者或改建者不是國王就是皇帝，大都會藝術博物館的創辦者，除了充當專業顧問的少數藝術家，純粹就是一群商人和銀行家。

歷史回到一八七〇年，當時普魯士和法國爆發了普法戰爭，中國的太平天國運動剛結束沒多久，正是清朝同治年間。而經歷南北戰爭後的美國，正處於美國人說的「重建期」，暗潮湧動，GDP經濟發展水準卻已悄悄逼近老大哥英國，並於一八七〇年首次超越英國。到了一八八〇年前後，美國最終取代了英國，成為世界上經濟最發達的國家，而大都會藝術博物館在某種意義上，正是「前進中的美國」、「崛起中的美國」象徵。

一八六六年七月四日，恰逢美國國慶日，一群充滿朝氣、滿懷希望的美國青年參觀了數間歐洲博物館後，一起在法國巴黎共進簡單的午餐。席間，一位熱血青年、同時也是非常具有責任感的律師約翰・傑伊（John Jay，後來出任美國首席大法官）站起來大聲宣布：「美國也需要有自己的藝術博物館！」以此為契機，四年後，大都會藝術博物館成為現實。

只不過，大都會藝術博物館剛起步時很不像樣。既不像大英博物館有大英帝國傾舉國之力從全球搜刮來的文物瑰寶；也不像羅浮宮有熱愛藝術的法蘭索瓦一世、拿破崙的支持；更不如北京故宮有歷朝歷代帝王留下的龐大寶藏。甫建成的博物館內空空蕩蕩，美國著名女作家伊迪絲・華頓（Edith Wharton）在《純真年代》中描述當時的大都會藝術博物館「在無人問津的孤寂中腐朽」。

不過，美國人一點都不氣餒。大都會藝術博物館的第一批館藏來自首任總裁約翰斯頓（John Johnston），他也是薩默維爾和伊斯頓鐵路公司總裁，是位藝術愛好者，收藏了一百七十多幅畫。這批畫的作者包括丘奇（Frederic Edwin Church）、科爾（Thomas Cole）等人，雖是當時美國比較著名的畫家，但放在整個藝術史裡卻算不上頂尖。儘管如此，大都會藝術博物館的創始人卻不覺得這有什麼，他們認真地籌備和興建博物館，從任命知名學者擔任監督，邀請藝術家當顧問，與市政府談判買地，招標邀請建築師設計，到嚴格核算施工成本等，全程一絲不苟。可以說，他們打從一開始就是按照一間企業的標準體制和體系，嚴肅經營著大都會藝術博物館，並期待它有一天能成為一間了不起的博物館。

在這種創業激情、嚴謹又科學的經營管理之下，大都會藝術博物館的館藏很快就充實了起來。一九〇二年，神祕的新澤西汽車製造商捐贈了五百萬美元鉅款，有了這筆天文數字，大都會藝術博物館立即購入大畫家布勒哲爾（Pieter Bruegel de Oude）的《收割者》（*The Harvesters*）等，納入第一批像模像樣的收藏。此後幾年，大都會藝術博物館的藏品多到幾乎放不下。截至今天為止，大都會藝術博物館的面積比初創時擴充了近二十倍。「創業」相當成功。

與很多矯情的勵志與奮鬥故事相比，大都會藝術博物館的奮鬥史顯然更激勵人心，也是奔騰年代裡美國精神的縮影。美國這種崛起態勢此後一直沒間斷過，直到今天，矽谷依然是全世界的創新中心。我想這份奮進、激情、科學與嚴謹的態度，相當值得借鑑和學習。

大都會藝術博物館如今已是美國的驕傲，體現了特有的美式商業精神。你可能很難想像，博物館下轄的服裝研究館部居然收藏了多達三萬五千件服飾，「博物館」和「時尚」這兩個彼此看起來八竿子打不著的領域，在此緊密聯繫著。

一九四八年起，大都會藝術博物館開始舉辦一年一度的慈善晚會「Met Gala」（Metropolitan Museum of Art’s Costume Institute in New York City，簡稱 Met Gala/Met Ball），

為下轄的服裝研究館部籌集資金。能參加晚會的都是上流社會的權貴人士，不但能讓博物館大打廣告，也不斷提升著博物館的影響力。一九八三年，當年《Vogue》和《哈潑時尚》主編戴安娜・佛里蘭（Diana Vreeland）居然請了一代時尚大師伊夫・聖羅蘭參加。很快地，上至財團大亨、總統夫人，下至演藝明星、潮流人士，無不對「Met Gala」趨之若鶩。這場已經成為「時尚界奧斯卡」的盛會通常每年五月舉行，光是一張門票就高達二萬五千美元（二〇一六年資料）。

大都會藝術博物館也參與商業運營。二〇一五年，該館宣布發行二億五千萬美元應稅債券。據其財政報表顯示，博物館每年總收入中，非限定性捐贈收入約占三十％，限定性捐贈收入約占三十％，門票收入約占十五％，會費收入約占十％，紐約市公用事業補貼約占五％，紐約市的保全和維護費補貼約占五％，還有其他一些非常規收入。一家博物館能夠如此營運，真叫人甘拜下風。

不過，商業運營有成功，就有失敗，既然是市場化運營，就要承受失敗的風險。近年大都會藝術博物館由於未能妥善預估風險，出現了數千萬美元赤字，館長因此被迫辭職。

這裡之所以花這麼多篇幅講解博物館的經營，就是想說明有些事情只有交還給市場、交還給專業人士經營和管理，才能讓博物館健康成長。在管理方面，我們也許不該像美國人這樣過於自由和放縱，但輿論對於某些方面也不用大驚小怪。我看過報導批評北京故宮博物院用傳統文化做生意，不注重保護傳統文化，事實上，只有良好的商業收入才能更妥善地保護文化遺產；只有採取商業化、市場化的經營，才能增加博物館的吸引力，而不是讓博物館變成一個無趣又枯燥的場所。博物館、圖書館這類文化機構，都必須好好學習大都會藝術博物館的經營經驗與教訓。

埃及人免費贈送的丹鐸神廟

這家商業運作下的博物館有什麼特別出色的藏品呢？

大都會藝術博物館的好收藏很多，而且來源和大英博物館、羅浮宮相比沒那麼血腥，更多是靠捐贈、購買和合作而來。比如說丹鐸神廟，這座非常著名的古埃及神廟現在整座神廟都在大都會藝術博物館裡，廟裡滿布彩繪、文字，十分精美。怎麼來的呢？二十世紀六〇年代，埃及預定興建亞斯文水壩，很多著名的文物古蹟都會被淹沒在水庫內，美國於是出錢搬遷了幾座。

面對這座約有兩千年歷史的小神廟，埃及實在無力搶救，只能任其淹沒。埃及人對美國人說：「你們要是有能力拆走，就送給你們吧。」美國人欣喜萬分，從一九六五年開始把這座神廟拆成一個個重約六．五噸的石塊，一批批運回美國。為了表現其神祕感，展現孕育於尼羅河畔的文明之光，展示丹鐸神廟的賽克勒廳專門設計了一座寬闊的水池，並透過巨大的落地玻璃引入室外光線，照射在水面上。置身其中彷彿就像站在尼羅河邊，宛如穿越了時空。

丹鐸神廟

來自賽普勒斯的阿瑪薩斯石棺（Amathus sarcophagus）也是該館的重要藏品之一，這座無比精美的石棺屬於古代阿瑪薩斯王國的一位國王。還有古希臘時代的聖甲蟲雕像、伽倪墨得斯首飾組（Ganymede jewelry）等。

不過，大都會藝術博物館最搶鏡的不是這些寶物，而是兵器館。

獨具特色的兵器鎧甲展廳

古代的鎧甲、兵器和武器在一般博物館並不常見，大都會藝術博物館的兵器鎧甲展廳裡卻有很多。主要展出十六、十七世紀歐洲國王和貴族使用的盔甲和馬的盔甲，展廳中央那組精心裝飾的「格林尼治盔甲」，據說是英國國王亨利八世的皇家工坊製作的。

鎧甲的展示方式很獨特，不是放在玻璃櫥窗裡，而是擺放成彷彿正在出征的軍隊，真正是「車轔轔，馬蕭蕭，行人弓箭各在腰」。再配上天花板懸掛的兩大排騎士旗幟，隊伍看上去更是雄壯威武，讓人立刻回到那個有騎士與國王、惡龍與城堡的時代。

如果你看過很多歐洲文學作品，對於歐洲騎士應該不陌生，最著名的就是塞萬提斯筆下的唐吉訶德了。騎士的故事、騎士的精神、騎士的風度，隨著這些故事的流傳，特別令人神往。不過，當我們站在兵器鎧甲展廳裡，聯想到的往往不是那些故事裡的歐洲，而是電影《王者天下》、《聖女貞德》描述的中世紀歐洲。除了英王亨利八世的兵器與盔甲，這裡也展示了法國亨利二世和德國費迪南一世的盔甲，這些騎士盔甲用金銀鑲嵌著封建領主的家族徽章，花紋華貴、漂亮，每一件都是藝術品。

這裡不僅展示歐洲的兵器與盔甲，一頂來自阿拉伯世界的金盔讓我們能夠想像那些東方對手的風采。除此之外，古埃及、古希臘、古羅馬帝國、古代近東地區等地的盔甲與其裝備，從盾牌、佩劍、刀槍到弓弩，應有盡有。尤其是那一大堆從戰國到江戶時代的日本武士盔甲和武士刀，甚至還有十九世紀和二十世紀美國牛仔和士兵用過的槍械。唯一美中不足的是，一件中國古代盔甲也沒有。

這就引出了一個有意思的話題——中國古代的武器裝備留存下來的數量似乎特別少。雖然有越王勾踐劍這樣的精品，還有明十三陵出土的帝王盔甲，但和國外保存至今的數量相比，總量差了很多。現今關於古中國的武器裝備和軍人形象大多來自文字記載，如書籍《武經總要》，以及留存下來的畫像，如《出警入蹕圖》，使得古裝劇裡的人物穿戴和裝備經常不符史實，尤其是涉及戰爭題材的作品。反觀西方，無論是寫實的歷史劇，還是《魔戒》、

《華盛頓橫渡德拉瓦河》

《權力遊戲》，裡面的人物形象都有依據、有出處、有歷史基礎。

美國大都會藝術博物館為什麼收藏了這麼多盔甲？具體原因不得而知。但可以肯定的是，美國人尚武。如果你認為美國人都是「少爺兵」，戰鬥力不強，那絕對是偏見。大都會藝術博物館有一件非常著名也非常重要的收藏——德國藝術家洛伊茨（Emanuel Leutze）一八五一年創作的油畫《華盛頓橫渡德拉瓦河》（*Washington Crossing the Delaware*），描繪了美國獨立戰爭期間美國第一任總統，也就是當時的美軍總指揮喬治·華盛頓將軍橫渡德拉瓦河的場景。

這是獨立戰爭中特倫頓戰役的第一步，此前美軍連吃敗仗，士氣十分低落，又臨近年末，缺吃少穿，戰鬥力下降。在這種情況下，華盛頓將軍力排眾議，毅然決定死中求生，渡河進攻對岸的英國傭軍。這一天是一七七六年十二月二十五日聖誕節，天上突然刮起暴風雪，狂風呼嘯，氣溫極低，流速湍急的德拉瓦河雖未結冰，但怒濤咆哮，河水刺骨，整條河彷彿噴射著寒流。在當地漁民的幫助下，華盛頓將軍率領二千四百人強渡德拉瓦河，突然出現在敵人面前。毫無準備的敵人萬萬沒想到，在這樣的天氣，又是耶誕節，美軍居然膽敢發動奇襲。華盛頓將軍最終以寡擊眾，大破英國，贏得一次輝煌的勝利。這幅《華盛頓橫渡德拉瓦河》表現的就是當時的情景。領兵的華盛頓將軍傲立船頭，表情堅定，展現出大無畏的豪情與英雄氣概。直到今天，只要看到這幅畫，都能感受那種氣勢如虹的豪邁。

失落的羅丹雕塑館

大都會藝術博物館收藏的三百多萬件藏品中，精美的雕塑很多，而且很有趣的是，法國大雕塑家羅丹的作品特別多。

大都會藝術博物館於一九一二年蓋了羅丹雕塑特別展廳，也就是現在的畫廊八百號展廳*，長期陳列羅丹的雕塑和歐洲繪畫，可說是對於藝術家成就的高度肯定。這座展廳位於大都會藝術博物館最受歡迎的現代藝術展廳過道，換言之，大家欣賞現代藝術時，基本上都會從羅丹的作品旁邊走過，可見大都會藝術博物館對羅丹多麼推崇。

說來也怪，在美國，不光是大都會藝術博物館，各博物館和美術館似乎都格外推崇羅

*注：已於二〇一八年截止，展覽內容已更換。

丹，費城甚至有一座專門的羅丹博物館。二〇一七年是羅丹去世一百周年，美國人比法國人還興奮，和法國聯手在許多間博物館和美術館舉辦「羅丹逝世百年紀念展」，盛況空前。

雖然美國人如此推崇羅丹，有點尷尬的是，大都會藝術博物館收藏的羅丹雕塑很多都是複製品。其中有一部分作品是羅丹自己捐贈的，其他作品則是博物館董事與收藏家提供資金後購入的。

舉例來說，著名的《青銅時代》（*L'age d'airain*）是辛普森夫人一九〇七年捐贈的，原作在巴黎盧森堡公園；大名鼎鼎的《沉思者》（*Le Penseur*）是湯瑪斯．瑞恩一九一〇年捐贈的，原作最早曾被放入巴黎先賢祠；《巴爾扎克》（*Balzac*）是肯特基金會於一九八四年捐贈，原作同樣在巴黎。另外，《加萊市民》（*Les Bourgeois de Calais*）原作現存法國加萊市；《吻》（*Le Baiser*）的原作則在巴黎的羅丹博物館等。

一位法國藝術家為什麼備受美國人推崇呢?這得從羅丹本人說起。

大都會藝術博物館成立的一八七〇年，羅丹雖然三十歲了卻還是沒什麼名氣。終於，一九〇〇年巴黎世界博覽會，他在博覽會外的阿爾瑪廣場獨闢一片場地舉辦個展，借助世博「萬國來朝」的「天時地利」，一下子聲名鵲起，蜚聲國際。

然而在此之前，這位世界藝術巨匠的藝術道路非常不平坦。羅丹所處的年代正是傳統藝術和現代藝術的分水嶺，有人說他的一隻腳踏在傳統藝術世界，另一隻腳已邁入現代藝術世界，大藝術家本人正是劃分兩個時代的門檻。正因如此，縱觀羅丹一生藝術生涯，既充滿了

《沉思者》

抨擊和嘲諷，也充滿了支持與肯定，而且前半段幾乎都是抨擊和嘲諷。由於從小熱愛藝術，其他功課十分糟糕，羅丹的父親很早就把他送進美術工藝學校學習裝幀和製圖。換句話說，羅丹本來應該成為一位畫家，為什麼卻成了雕塑家呢？

很簡單，畫油畫太貴了！別的不說，如果不想用美術用品社那種一管不到百元的丙烯顏料，專業油畫顏料至少得好幾百塊一管，畫筆、畫板就更不用提。橡皮沒被發明出來之前，連擦拭炭筆的痕跡都是使用乾掉的麵包。羅丹的父親是郵差，母親是普通的家庭婦女，全靠姐姐工作賺錢供他上學。畫油畫的開銷極大，家裡很顯然供不起，羅丹遂轉行投入雕塑。

在學校，羅丹遇到了人生中最重要的啟蒙老師。勒考克先生（Horace Lecoq de Boisbaudran）鼓勵羅丹大膽突破傳統，勇敢創造全新的東西，不要因循守舊。他的教導影響了羅丹的一生。相當看好羅丹的勒考克先生不但推薦他前往名雕塑家那裡學習，還寫信給著名的雕刻家，懇求對方擔任羅丹的推薦人，讓他能進入巴黎美術學院深造。結果羅丹連續三年落選，主考官甚至寫下批語：「此生毫無才能，繼續報考，純屬浪費。」

學院派的路走不通，藝術沙龍之路同樣處處碰壁。羅丹第一次提交給巴黎藝術沙龍的作品是一件名為《塌鼻的男人》（*Homme au nez cassé*）的雕塑。因為雇不起模特兒，只好找個年老的塌鼻乞丐當模特兒。老乞丐面容醜陋、鼻子又塌，羅丹創作時卻絲毫不回避，完全還原模特兒的面貌不說，還全力突出人物的情緒。這件雕塑今日已身價大增，但當時和一大堆新古典主義的「帥哥美女」式作品擺在一起，就像蛋糕專賣店的櫥窗裡擺了顆全麥饅頭，結果可想而知。

現今回想起那個年代，大部分嶄新又充滿革命性的現代藝術都曾經是傳統藝術的「淘汰品」。大畫家馬奈名作《草地上的午餐》（*Le Déjeuner sur l'herbe*）就曾是沙龍落選作，今日卻是現代藝術發端的標誌，梵谷就更不必說了。羅丹若不是在巴黎世博會一舉成名，以他孤僻的個性和作品的風格，極可能成為另一個梵谷。

了解羅丹作品的人都知道，他的作品往往非常清晰地呈現出一種處於「壓抑和掙脫」之間的狀態。在羅丹看來，塑造作品的過程並不是將形象從材料中解放出來，而是恰恰相反，所有的雕像都是輪廓內的囚犯，會永生永世維持著同一個樣貌、同一個狀態，永恆定格在一個無法掙脫的框架裡。羅丹曾說：「雕塑不過是壓縮與突起的藝術罷了，不脫這個範圍。」

《加萊市民》

他的雕塑作品表達的始終是悲壯的主題，《加萊市民》、《巴爾扎克》，以及未能完成的終極大作《地獄之門》（*La Porte de l'enfer*），都是如此。羅丹認為人生亦然，我們最終都無法逃脫固有的宿命，但壓抑和蜷縮的生命中卻蘊含著巨大的力量。他曾說：「生命雖四處皆是，但少有全然的呈現或完美、自由的個體。」也曾對友人說：「還有什麼比想女人更重要呢？」膚淺的人認為這說明了羅丹是個好色之徒，將之無限放大。其實對於藝術家羅丹來說，他真正擔憂的是最美好的時間、空間，轉瞬即逝，無法掌握。在他看來，無論是對女性還是對人類的情感，只能透過手中的黏土，將之永恆固定。

那麼，美國人為什麼如此推崇羅丹？

羅丹的藝術成就今日早已獲得世界認可，而美國人之所以如此認可羅丹，完全是因為雕塑作品的特性，尤其是羅丹的。

在藝術史中，只有早期的雕塑家會親自創作獨一無二的雕塑作品，到了十九世紀，大多數雕塑家都會製作模具，將成品的製作交給專業人員，羅丹也不例外。據說在工作室裡，羅丹經常叫一群模特兒在他面前隨意走動，一旦某個姿態或動作打動他，他就會叫模特兒站定，拿起黏土捏塑一個小模型。之後，他會將這些小模型視為素材，在創作時選擇其中一些加以放大、添加、刪改。羅丹大部分作品都是黏土和石膏像，一生幾乎從未碰過大理石，還雇用了十位專業人員進行大理石作品的切割，自己從不動手。

一九一七年羅丹去世時，留給世人的雕塑作品多達六千件，其中絕大部分是石膏像，從未被澆鑄成青銅雕塑。他在遺囑中將作品的製作權交給了法國政府，日後只要獲得法國政府的授權，其作品就可以被製作成雕像。因此從理論上講，所有經過羅丹或其繼承者（即法國政府／巴黎羅丹博物館）授權的青銅雕塑，都是真品。換句話說，複製品和原作的藝術價值幾乎沒有差別。對於大都會藝術博物館這種後起的博物館「小輩」來說，木乃伊、羅塞塔石碑、《蒙娜麗莎》、《斷臂維納斯》，都讓歐洲那些大博物館「瓜分」得差不多了，能收購到一些中世紀畫家的作品已是欣喜萬分，羅丹的雕塑只要購買脫模或買下授權，就能自行澆鑄，都算真品，當然不會放過。

藝術品和複製品的藝術價值差別到底多大？有的批評家說原作就是原作，複製品失去了原作的神韻；有的則認為複製品只要同樣是原作者自己製作的，或是其他藝術大師仿製的，應該具有與原作同等的藝術價值，好的複製品價值甚至更高。比如王羲之《蘭亭集序》、大

《地獄之門》

英博物館的《女史箴圖》，原作都已經不存在，現今流傳的全是複製品或摹本，藝術價值仍然很高。

拿羅丹最著名的雕塑名作《沉思者》來說，這件作品和他另一件傑作《吻》，其實都是大型雕塑《地獄之門》的一部分，後來才被放大成一件獨立的作品。《沉思者》的複製品非常多，巴黎博物館、巴黎羅丹美術館，甚至美國肯塔基州的路易斯維爾大學校園內都有不同的版本。這些複製品和那些工業流水線生產出來的工藝品、紀念品不同，仍然有很高的藝術價值。所以我們完全可以說，即使都是複製品，今天在大都會藝術博物館，我們仍能欣賞到非常全面的大師之作，感受其獨有的魅力。

中國的帕德嫩神廟：《藥師經變》和《皇帝禮佛圖》

大都會藝術博物館三百多萬件藏品中，來自中國的藏品占了很大比重，而且大部分都是貨真價實的原件，種類繁多，如商周漢青銅器、唐宋明清瓷器、明代家具、清代繪畫等，有些甚至是中國已經失傳的孤品，可謂價值連城。

這些中國文物大部分都是透過正當管道購買而來。你可能會認為買進這麼多價值連城的文物一定花了很多錢，其實沒有，因為許多是二十世紀七〇年代購入的，那時中國文物非常便宜，與西方油畫簡直沒法比，一張印象派作品幾乎可以買一屋子的中國文物。當時正值大都會藝術博物館建館一百周年，館方認為館內就屬亞洲文物的收藏最少，由於希望能成為百科全書式博物館，董事會於是決定大量收購亞洲文物。而在這動機之外，問題的關鍵其實是當年中國的文物管理和保護做得不好，造成了嚴重的文物流失，也讓大量文物以極低的價格進入大都會藝術博物館。

今天看來，這些文物的價值都非常高，屬於稀世珍寶。因為數量太多，這裡只挑兩件最具代表性的。

首先是來自山西省的巨幅彩繪佛教壁畫《藥師經變》（廣勝下寺壁畫——藥師佛佛會圖）。這幅巨大的壁畫是繪製於元代的壁畫精品，全長十五・二公尺，高七・五二公尺，占據了整整一面牆。畫面正中央端坐著藥師如來，法相莊嚴，結跏趺坐於蓮花座上，日光菩薩

《藥師經變》

和月光菩薩為左右協侍，周圍還有八大接引菩薩，十二神將各率七千名藥叉眷屬，護佑各地受持藥師佛名號的眾生。整體來說氣勢逼人，栩栩如生，空曠開闊的展廳更讓人如同身臨仙樂飄飄、西方極樂的佛境。所謂的「經變」，意思就是把佛經用另一種不使用文字的「變化」表現出來，《藥師經變》就是《藥師經》的圖像解讀。

這幅巨作原本在山西省洪洞縣廣勝寺中，全寺壁畫總面積共有一百九十六平方公尺，《藥師經變》是從下寺的牆壁上被硬生生鑿下來的。盜鑿並賣掉它的並不是外國侵略者，而是中國人自己。整個過程在《重修廣勝下寺佛廟序》裡有詳細的記載：「去歲（一九二九年），有客遠至，言佛殿繪壁，博古晉雅好之，價可值千餘金。僧人貞達即邀仕紳估價出售。眾議以為修廟無資，多年之憾，舍此不圖，勢必牆傾椽毀，同歸於盡……」

一九二九年的中國正值軍閥混戰，廣勝寺僧人聽寺裡的客人說，寺裡的壁畫很值錢，正好他們沒錢修廟，就把精美的壁畫從牆上鑿下來，以一千六百銀圓的價格賣給了文物販子，最後輾轉抵達美國。

根據大都會藝術博物館的記載，這幅壁畫是一九六四年美國醫藥學家、藝術收藏家賽克勒（Dr. Arthur M. Sackler）以他母親的名義捐獻的。富有的賽克勒喜歡收藏中國藝術品，除了這幅壁畫還購買了大量中國文物。這幅《藥師經變》當初出售時被分成好幾百塊，大都會藝術博物館接受捐贈時，這幅壁畫還是支離破碎的上百碎塊，後來經過精心修復，才有了今天相對完整的《藥師經變》。

這裡有必要介紹一下捐獻者賽克勒。凡是對收藏界有點了解的人，幾乎沒有人不知道他，若是說到收藏中國文物，此人重要性更是非同小可。亞瑟．賽克勒博士，一九一三年八月二十三日出生於美國紐約布魯克林，是一位受人尊敬的科學家、慈善家。賽克勒從二十世紀三〇年代開始收藏藝術品，一九五〇年，他看到一張造型簡潔優美的明代小桌，用他自己的話說：「我的生活自此不同了。開始意識到這裡有一種美，一種還未被普遍欣賞和理解的美。」

《北魏孝文帝禮佛圖》

從此以後，賽克勒徹底愛上中國藝術品。熱愛中國傳統文化的他為了透徹理解中國文化，蒐集了大量的中國古代文物，成為國際知名的中國藝術品收藏家。而且他對中國非常友好，給了中國很多幫助。當年白求恩大夫在中國救治抗日戰士就曾獲得他的支持。一九八〇年，他在美國拍賣會用十萬美元買下一張頤和園的御座，無償送還中國。一九八六年，他為北京大學興建了一座賽克勒博物館，是中國大學中第一間以考古為主題的博物館。

外國人比中國人更加精心保護中國文物，關於這件事的誰是誰非我們不做評判，但確實應該思考「該怎樣對待祖先留下的珍貴遺產？」想必每個人心中都有自己的答案。

大都會藝術博物館裡另一件中國文物《皇帝禮佛圖》也有與《藥師經變》類似的遭遇。

《皇帝禮佛圖》全稱《北魏孝文帝禮佛圖》，是龍門石窟賓陽中洞東壁上的浮雕，創作於北魏年間，是一件中國古代浮雕的重要作品。這個作品原本叫《帝后禮佛圖》，現在被拆成了兩部分，《皇帝禮佛圖》收藏在大都會藝術博物館；《皇后禮佛圖》收藏在美國堪薩斯市的納爾遜－阿特金斯藝術博物館（Nelson-Atkins Museum of Art）。

顧名思義，《帝后禮佛圖》刻的是北魏孝文帝和文昭皇后的供養情形。北段，也就是《皇帝禮佛圖》，刻了孝文帝頭戴冕旒，身穿袞服，在諸王、中官及宮女、御林軍的簇擁下緩緩行進的場面。宮女和御林軍手持傘蓋、羽葆、長劍、香盒等，排成整齊的佇列，人物密集重疊，顧盼照應，既渾然一體又富有變化，展現出高超的藝術水準。

這塊浮雕同樣是在二十世紀二〇、三〇年代被盜賣的。當時，一個叫普愛倫（Alan Priest）的美國人勾結了一名北京琉璃廠古董商，分三次付款，共計一萬四千銀圓，把這兩塊浮雕盜鑿而去。二十世紀五〇年代時，專家研究了當年的盜鑿過程，發現當時龍門鎮附近的村民曾經自行組織起來希望保護浮雕。無奈文物販子勾結當地土匪，在夜深時盜鑿，把浮雕一塊塊鑿下來，鑿下的浮雕裝進擔子，天亮前就統統挑走了。石工盜鑿時，土匪站在洞外荷槍把風，一旦發現附近有人經過，就用暗號通知洞內石工暫停敲打，一整面浮雕就這樣被盜走。除此之外，這夥人還盜走了大量的石獅、菩薩和飛天雕像、整尊的羅漢等國寶。不過，最最最遺憾的是，從《帝后禮佛圖》原壁被鑿的痕跡和殘存的浮雕斧痕，以及後來從古董商家查獲的幾箱浮雕碎塊來看，原作恐怕已被鑿毀，現藏於美國的很可能只是複製品，而這無疑是人類藝術史上的一大悲劇！

CHAPTER 4

中華文明之光：中國國家博物館

中國國家博物館總面積接近二十萬平方公尺，是世界上單一建築面積最大的博物館。共有四十八個展廳，包括「古代中國」和「復興之路」兩個常設展，每年有近千萬觀眾入內參觀。

National Museum of China

這一章要介紹我工作的地方，就是中國國家博物館，簡稱「國博」。

很多人認為國博是一九四九年之後才有的，大家會這樣以為似乎也很正常，畢竟國博位於天安門廣場東側，和人民大會堂、人民英雄紀念碑同屬天安門廣場建築群的一部分，很容易產生誤解。

事實上，國博的歷史最早可追溯到一九一二年。辛亥革命後不久，中華民國政府教育部設立了「國立歷史博物館籌備處」，選址國子監。後來幾經反覆，最終於一九五八年在天安門廣場東側，也就是現今國博所在地修建了起來。一九五九年竣工，成為中華人民共和國建國十周年的首都十大建築之一。

和我年紀相當的人應該都記得，小時候「國博」還不叫「中國國家博物館」，當時只有「中國歷史博物館」和「中國革命博物館」。幾經更迭，直到二〇〇三年，中國歷史博物館和中國革命博物館兩館合併，國博才正式誕生。二〇〇七年國博啟動擴建工程，並於二〇一〇年十二月完工。二〇一一年三月，中國國家博物館新館開放，成為今天看到的「國博」。

身為一個「國博人」，即便就在這裡工作，每次踏進國博，我仍然很興奮。國博的基本資料很值得大家了解。雖然很多在北京生活、工作的人經常路過天安門，但很少有人知道，國博的面積廣達二十萬平方公尺，也讓身為「國博人」的我可以非常自豪地說，中國國家博物館是世界上單一建築面積最大的博物館。在這個龐大的博物館裡有四十八個展廳，除了「古代中國」和「復興之路」兩個常設展廳，還有青銅器、佛造像、錢幣、瓷器、石刻、革

中國國家博物館

命文物、現當代美術作品等，以及十多個專題展。除此以外，國博每年還會策劃五十檔以上的國際交流展或特展，每年參觀人數將近千萬。

既是國家級博物館，藏品肯定也是國寶級，現在就來介紹幾件國博裡的國寶。

鎮「國」之寶后母戊鼎

不論是哪個版本的中國史課本都會提到這件我們耳熟能詳的文物——迄今世界上出土最大、最重的青銅禮器，享有「鎮國之寶」美譽的后母戊鼎。

后母戊鼎（原稱司母戊鼎）屬於中國一級文物，從二〇〇二年起就被列入禁止出境展覽文物的名單。換句話說，想看后母戊鼎，只能來國博。這件全世界出土最大、最重的青銅禮器到底多大呢？重量是八百三十二．八四公斤，和一輛小汽車一樣重。連耳一百三十三公分高，鼎口長一百一十二公分，口寬七十

司母戊鼎

九．二公分，鼎壁厚達六公分。整座鼎身刻滿雷紋，四周還有盤龍、饕餮等紋樣，氣勢逼人，充滿了遠古時代的粗獷與古樸。

至於這件青銅器原先被稱作「司母戊鼎」，後來改名「后母戊鼎」的故事，首先得從它是如何被命名說起。

這個鼎的內壁上刻有「后母戊」三個字。「母」和「戊」沒什麼爭議，關鍵在於最前面的「后」字。以我們現代人的眼光看，這個字怎麼看都是「司」字。最初命名這件器物為「司母戊鼎」的人是郭沫若。「司母戊」這三個字中，「司」意指「祭祀」，「母」意指「母親」，「戊」則是人名，整個意思是「祭祀母親戊」。「司」字發展到後來，就逐漸演變成「祠堂」的「祠」。可是這個說法一出來就引發爭議。後來，有些學者經過研究，認為「司」字應該是「后」字——如果像照鏡子一樣將「司」字翻轉過來，是不是就很像「后」字？

但是，「后」字又怎麼解釋呢？部分學者認為「后」在這裡表示「崇敬」，比如我們經常說「皇天后土」，這個「后」字就是「王后」的「后」。所以「后母戊」的意思就是「偉大的母親戊」。

事實上直到今天，爭議仍未停歇。考古學家杜迺松多年來一直研究這座大鼎，他對大鼎的鑄造年代提出了新觀點。過去一直認為后母戊鼎的年代是殷商晚期，但考古學家在河南安陽殷墟裡發掘出另一個類似的大鼎，叫作「司母辛鼎」。杜迺松的研究結果證明，這個叫「戊」的母親，和「司母辛鼎」紀念的「辛」，都是商王武丁的妻子。武丁是一位很有作為的商朝君主，死後由兒子祖庚繼位。祖庚死後，則由祖庚的三弟祖甲繼位，而「母戊」和「母辛」，很可能分別是祖庚和祖甲的母親。如果這個推論是對的，那麼既然有「司母辛鼎」，國博這尊大鼎理所應當被叫作「司母戊鼎」。

不過，又有學者舉證，「司」和「后」在古代很可能是同一個字，比如《說文解字》裡就提到了「后」是「司」的反寫。也就是說，兩個字是同一個字，只不過寫法不同。*

那麼，到底是叫「司母戊鼎」還是叫「后母戊鼎」呢？目前學界沒有標準答案，不過國博已按照新說法將這座大鼎稱為「后母戊鼎」。

*《說文》：「后，繼君體也。」「后」與「司」本同源，後分化。「后」在甲骨文中表示發號施令的最高權力者。有的甲骨文將「后」寫成「反司」，以區別一般意義上的掌權者「司」。在生殖崇拜的母系時代，社會最高權力者為智慧而生殖力強的婦女「后」；進入父系社會後，最高權力掌握在能征善戰的男性手裡，「后」的地位由女王下降為第一女性。——作者注

后母戊鼎的發現者是吳培文。吳老先生是河南安陽人，亦即殷墟所在地。中原一帶歷史悠久，地下寶藏甚多。一九三九年有天晚上，吳先生的叔伯和哥哥在野地裡探寶，探到地下十三公尺左右，碰上了一個堅硬的東西，大家用了整整三天才把這個銅跡斑斑的大東西挖出來，這就是我們看到的「后母戊鼎」。幾個挖寶人一看，猜想必是國寶，便把它藏在吳培文家裡。

幹嘛藏起來呢？因為后母戊鼎「生不逢時」，一九三九年正值抗日時期，安陽早在一九三七年已被日寇占領。后母戊鼎出土這件事，很快就傳到日本人耳裡。當時，一位名叫黑田榮的日本警備隊隊長帶了人來，親眼見到了這座大方鼎，連喊好幾句「寶物！寶物！」就走了。

吳培文怕大鼎落入日軍手裡，聯絡了一個古董商來買。古董商一眼就看上，但要求把大方鼎切塊以便裝箱。吳培文認為這是破壞國寶，下定決心不賣了，好好藏起來。他先把大方鼎埋起來，後來消息洩露，又把大方鼎藏在馬棚裡，偽裝成馬槽。最後乾脆花二十塊銀圓，買了一個和后母戊鼎大小差不多的假鼎，往自家炕洞裡一藏。剛剛藏好，日本兵就上門來搶寶，扒開炕洞一看，當下就帶走了贗品。總而言之，吳培文和他的家人，以及其他愛國的老百姓，當時用了各式各樣的辦法保護國寶，總算熬到了抗戰勝利。

抗戰勝利後，這座大方鼎在南京首次展出，蔣介石親臨現場參觀，一下子就引發了全國轟動。一九四九年中華民國政府撤往臺灣時，本想把后母戊鼎帶走，卻因為大鼎太沉，難以搬運，只好把它留在南京機場，直到解放軍進入南京後才被人發現。一九五九年，國博落成，后母戊鼎從南京被運到北京，成為國博的鎮館之寶之一。

商朝人鑄造這尊大鼎時採用的是「制範法」，先製作外面的模子，也就是「外範」，然後「翻範」，再製作「內範」，最後澆鑄和打磨。從后母戊鼎上就能看到當年的製作痕跡。

浴火重生的四羊方尊

除了后母戊鼎，我想很多對國高中歷史課本還稍有印象的人，肯定能說出另一件青銅器「四羊方尊」的名字。這座方尊最早在湖南省博物館展出，並於一九五九年被搬到中國歷史博物館，從此成為國博的鎮館之寶之一。

四羊方尊和后母戊鼎有以下幾處不同。首先，四羊方尊的製作年代較晚，大概是商代後期。其次，后母戊鼎是禮器，純粹是為了祭祀而用；四羊方尊既是禮器也是酒器，可以用來裝酒。最後，后母戊鼎在河南安陽出土，屬於商朝的核心區；四羊方尊卻是在湖南被發現，出土之處今日被稱為「炭河里遺址」。據考證，現今多半認為炭河里遺址原本是一個從屬於商代的方國，我們後來稱它為「大禾方國」。而所謂「方國」，相當於商朝下轄的諸侯國。

只不過學界對此也有不同說法。由於四羊方尊被發現的方位比較淺，有人認為應該不是大禾方國的物品，而是因為戰亂或其他原因而從別地被帶來的。更何況其工藝如此精美，也

四羊方尊

不像是方國的匠人能具備的技藝。

的確，細看四羊方尊會發現它真的非常精美。它是中國現存商代青銅方尊中最大的一件，每邊邊長五十二．四公分，整體高五十八．三公分，重三十四．五公斤，除了四個羊頭之外，四邊還有蕉葉紋、三角夔紋、獸面紋等裝飾，非常漂亮。顧名思義，四羊方尊就是尊上有四個精美的羊頭，這四個羊頭位於尊的中部，羊頭和羊脖子向外探出來，羊身和羊腿則附著在尊的腹部和圈足上。方尊的肩部裝飾了蛇身且有爪的龍紋高浮雕。尊四面的正中央，也就是每兩隻羊的中間處，都有一個雙角的龍探出腦袋。

根據考古研究，四羊方尊是先後兩次分鑄出來的。先把羊角和龍頭都一一鑄好，然後把它們分別配置在外範裡，再進行整體澆鑄。整個器物一氣呵成，鬼斧神工，被史界稱為「臻於極致的青銅典範」。四羊方尊更是現今公認的中國十大傳世國寶之一。

這件國寶的故事同樣歷經波折。四羊方尊最初是一位農夫在開荒種地瓜時挖到的，後來被賣給古董商。輾轉幾次後，被當時的湖南省政府收藏。當時的湖南省政府主席就是後來著名的國民黨將領張治中將軍——一九三二年，他在上海領導第五軍參加淞滬抗戰。張治中雖然知道方尊是件文物，卻不知道價值，決定把它當成筆筒，就這樣放在辦公桌上好幾個月。後來日寇進逼，蔣介石決定以焦土政策對抗，引發了著名的「文夕大火」，四羊方尊就在大火裡失蹤了。

一九四九年以後，大家才搞懂四羊方尊跑去了哪裡。原來在長沙抗戰時，四羊方尊和湖南省銀行的金銀鈔票一起裝車後撤，車隊在撤退途中遭到日機轟炸，四羊方尊被炸成二十多塊，成了一堆碎片，後來鎖入湖南省銀行的倉庫裡，一直沒人管。

我們今天能看到這件精美的四羊方尊，要感謝中國著名的文物修復大師張欣如。張先生最早在河南開封一家名古玩店當學徒，拜文物修復專家張振茂、王長青等人為師，打下扎實的基礎。一九五二年，他接到修復四羊方尊的任務，努力了兩個多月，終於修復了這件寶物。

文物修復很難，不但要有精湛的技術，還要有懂得科學分析的經驗和頭腦。青銅器的碎片絕不是拿起來就能焊接、黏接，得先仔細分析、研究。舉例來說，有的鏽層下有花紋或銘文，選擇焊接點時就要避開這些紋飾。另外，青銅器既是金屬器物，腐蝕程度也要經過修復專家的考察與判斷。銅器若氧化程度太高，就不能焊接，一焊接就壞了，得改用黏接的；若是體胎厚大，銅質又好，則可以使用像是環氧樹脂這類黏合劑，既不損傷器物，還能加快修復速度。

為什麼要在方尊上鑄造羊的形象呢？學界對此有好幾種不同的說法。有一種說法認為羊在古代是道德高尚的標誌，《詩經》裡有「德如羔羊」的詩句，今日也流傳「羊羔跪乳」的典故。另一種說法則認為羊是古代用於祭祀的動物之一，殷商的遺址中往往有大量的牛、羊、犬這類動物屍骨，把禮器做成羊的形狀，就是代替活羊祭祀的意思。此外，四羊方尊四隻羊的羊角格外巨大，有人說這證明了中國在商朝時還存有類似大角岩羊的物種；有人則認為凸出和誇張表現羊角是氏族部落圖騰崇拜的遺風，不值得大驚小怪。

那麼，能做出后母戊鼎和四羊方尊的商朝，到底是個怎樣的朝代？別看后母戊鼎和四羊方尊如此精美，商朝畢竟屬於遠古，蠻荒特徵仍在，比如殷墟裡相當有規模的活人殉坑。商朝奉行的是野蠻的鬼神文化、巫術文化，貴族過世時往往會犧牲大量的人牲，場面令人不寒而慄。而我認為講述民族古老歷史時，即便是后母戊鼎、四羊方尊這樣的國之重器，也不需要刻意掩飾或美化，要讓大家知道真實的歷史，才算是真正還原和尊重歷史。

西周利簋：牧野之戰的直接證據

北京的美食一條街叫「簋街」，很多人到了安定門那個街口時，都會看見一個仿青銅器的雕塑。這個雕塑的模樣就是商周時期的器物「簋」，它是古代一種用於烹煮食物的器具，也是一種禮器。

簋街上的簋是按照山西出土的伯簋製造的，國博裡也有一件簋，名為「西周利簋」，同樣是禁止出境展覽的國寶之一。

利簋並不大，高度只有二十八公分，口徑二十二公分，重七．九五公斤。器物本身分為「獸首」、「雙耳」、「垂珥」、「垂腹」這幾部分，圈足下鑄有一尊方座，整個器身和方座上都裝飾著饕餮——不愧是件食器——的紋樣。

為什麼這件器物會叫「利簋」呢？原因就在器物上的銘文。當年擁有這件器物的人叫「利」，所以這件器物叫「利簋」。但，這個「利」是誰？這件簋又為何如此重要，足以成為國寶？

利簋能成為國寶與一個重大的歷史事件有關，那就是「武王伐紂」。

《史記》和《尚書》等古籍都曾記載「武王伐紂」，我們也在歷史課本中學過。為了更清楚說明這段銘文，讓我們一起展開想像力，回到距今三千多年前武王伐紂的那一天。那一天充滿了血腥與戰火、對抗和屠殺，卻見證了一個時代如何倒塌，成為熊熊大火中的廢墟；

西周利簋

也見證了一個部族如何從血海中站起來成為一個國家，走向壯懷激烈的新時代。

西元前一千多年的某一天，周武王姬發領著他的大軍，會合庸、盧、彭、濮、蜀、羌、微、髳等各部落，浩浩蕩蕩渡過黃河，於當天凌晨聚集在牧野。他們是一月底出發的，經過不到一個月的急行軍，這支訓練有素、軍容齊整的隊伍已經走過了巍峨的華山，穿越了三門峽，跨過怒濤翻滾的黃河，站在距離商朝都城朝歌不到二十五公里之處。

周武王俯視著這支雄壯的軍隊。隊伍裡，先進裝備如戰車多達三百乘，號稱「虎賁」的精銳武士三千人，此外還有步兵數萬人。再加上各部落趕來助戰的隊伍，武王麾下的軍隊總人數高達四萬人以上。此時，這些士兵嚴密排列成陣式，正準備去衝鋒、去殺戮，去完成奪取天下的關鍵一戰。戰旗獵獵，戰馬蕭蕭，各部落的圖騰和大纛迎風飄揚，場面極其浩大。這些勇士們擁有那個年代最先進的武器，金屬製的戈、戟和矛鋒利無比，比以往用的木製殳、杵、棒不知強上多少倍。

他們的敵人是商王帝辛，即商紂王。為了伐紂，整個周部族已經籌備了許多年。

與許多人心中的第一印象不同，紂王並不是一個完全無能的昏君，商朝的滅亡也不應該全算在他身上。首先，在那個生產力不發達的時代裡，想完全控制住分散在廣袤土地上的各個部族，並非易事。其次，商朝崇尚用神鬼巫術文化來控制其他部族，用鐵血政策迫使其他部族臣服，諸部落早就對商朝的統治心生不滿。等傳到帝辛手裡，歷經六百多年風風雨雨的政權早就風雨飄搖，千瘡百孔。

帝辛是一個非常聰明的人，而且力大過人，能夠徒手和猛獸格鬥。但他也有明顯的性格缺陷，史書記載他「智足以拒諫，言足以飾非」，從來不聽與自己想法不同的意見，獨斷專行，剛愎自用。

對待那些不願臣服的部落，帝辛仍然延續著商朝六百年來的鐵腕手段，實行征服統治，四處征戰，對於東南地區的夷族更是連年用兵。雖然取得很多勝利，俘虜大量奴隸，窮兵黷武卻導致國力日漸衰敗，頻繁的對外征戰也讓自己的都城防守較弱，完全暴露在其他部落的「火力範圍」之內。只要某個部族抓住一丁點機會，揮戈一擊，就可以推翻帝辛和他的王朝。

對於這種情況，遠在西部的周部落看得一清二楚，從周文王姬昌就開始積蓄力量，伺機滅商。到了武王姬發，相關籌備更是緊鑼密鼓。姬發派手下大臣姜尚沿著黃河上下四處奔走，聯絡了所有心生不滿的部族，一起對抗商朝。現在只需要等待一個適當的機會。

史實證明，姬發並沒有等太久。西元前一〇四〇年，帝辛再次派遣主力部隊南下征討夷族，姬發立馬抓住良機，糾集大隊，會合諸侯，出兵討伐紂王。

兵貴神速，武王姬發的行軍速度極快，是一次不折不扣的「閃電戰」。按國學大師王國維的推斷，武王一月底出兵，二月底的一天夜裡，軍隊已在離商朝都城朝歌不遠的牧野列陣完畢。

主力部隊全都在外征戰，朝中無兵可派，慌慌張張的帝辛只能把七十多萬奴隸組織起來，派他們上前線去面對使用青銅製成的戈、矛、戟，擁有戰車，連牙齒也武裝起來的周朝軍隊。

結果可想而知。奴隸人數雖多卻是烏合之眾，雙方一接觸，周朝的軍隊就以碾壓之勢，幾乎踏平了這支奴隸軍。這一天的牧野戰場上演了一齣慘烈的大屠殺。史書記載「流血漂杵」，十幾斤沉的實木大棒子被鮮血浸泡，竟然能在平地漂浮起來。商王帝辛知道大勢已去，在宮殿裡燃起熊熊大火，連同六百年的商王朝一同自焚而亡。細算起來，武王姬發從清晨興兵，黃昏就已大獲全勝，僅僅一天，商朝就滅亡了。夏商時代純粹的部落制被徹底埋葬，中國進入了嚴格意義上的分封制。

三千多年以後的今天，當我們回顧「武王伐紂」這段歷史，腦中不免浮現——牧野之戰到底是哪一天？這場戰爭真的發生過嗎？除了史書的記載，還有其他直接證據嗎？

靜靜陳列在國博裡的這件利簋正是明證，關於牧野之戰的具體時間線索就藏在其中。

這件利簋的內壁上有四行清晰的銘文，一共三十三個字。原文是：「武王征商，唯甲子朝，歲鼎，克昏夙有商，辛未，王在闌師，賜有事利金，用作檀公寶尊彝。」

這段銘文是西周初年留下的，時間大約是西元前一〇四四年，距今已有三千多年。這段文字目前還沒有較專業的官方注解，很多學者仍在深入研究中，因此我們只能大致了解這句話的意思。

第一句「武王征商」已帶出了這件歷史大事。「唯甲子朝」的大致意思是「在甲子這一天的早晨」。換句話說，武王伐紂發生在一個甲子日。銘文譯到此處，還沒有太大爭議。但這個甲子日到底是哪一天呢？

重大的爭議在「歲鼎」和「克昏夙有商」，這兩句要連起來讀？還是分開讀？到底是什麼意思？目前尚未有明確解釋。有一種說法認為「歲鼎」裡的「歲」指的是「歲星」，也就是我們今天說的木星。「鼎」的意思則是「正當中天」。「歲鼎」就是「歲星正當中天的時候」。如果真的按此解釋，將大大幫助我們推斷「武王伐紂」究竟是哪一天。

但也有學者持反對意見。指出「歲」就是木星的說法最早見於戰國，商末周初不會這樣說，主張「歲」應該是指「歲祭」，也就是上古時代的一種祭祀活動。此外，經過學者們的仔細辨認，「鼎」字也有不同的說法。有人說，這個字不是「鼎」，而是「貞」。在遠古時代，「貞」意指「占卜」。如果按照這樣解釋，「歲鼎」兩字就和確定日期沒有直接關係，原意應該是「進行了祭祀和占卜」，這樣同樣能和該銘文的上下文嚴絲合縫地連貫起來。

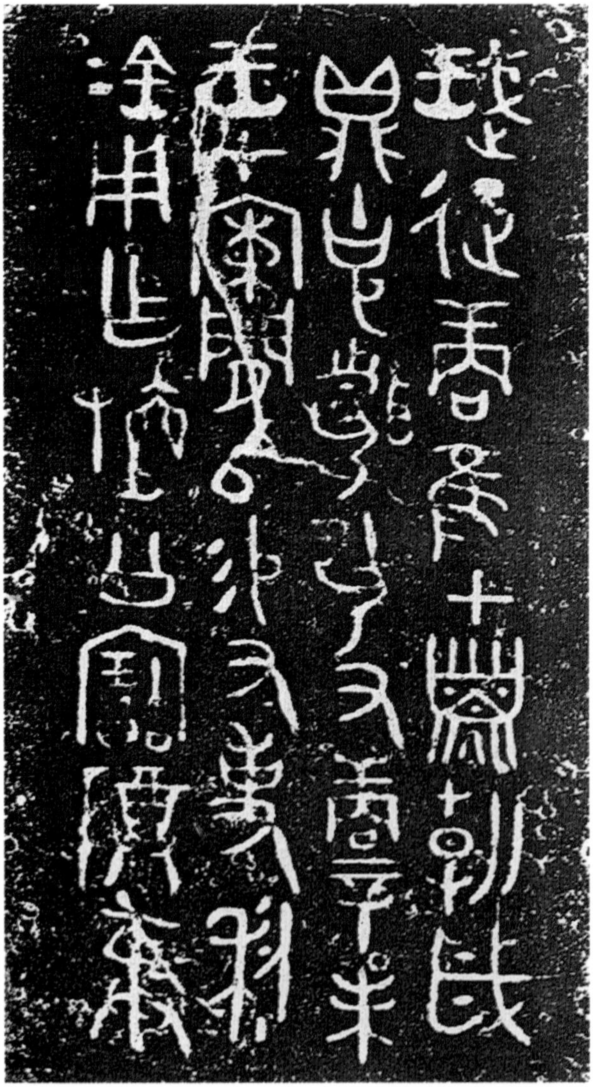

西周利簋內壁拓片

接下來那句「克昏夙有商」學界也有不同解釋。總的來說，大概的意思是：「在黃昏的時候，拿下了商朝。」之後那一句「辛未」又是一個重要的時間點，也就是牧野之戰「甲子日」之後的第八天。

「王在闌師」則是說周武王帶兵到了「闌」這個地方。「賜有事利金」，「賜」是賜予之意；「有事」是官名，後來稱為「有司」，也就是諸葛亮〈出師表〉裡「宜付有司論其刑賞」中的「有司」。那這位「有司」叫什麼名字呢？叫「利」。最後，「金」不是金子或金屬，而是青銅。

「青銅」是現代稱呼，當年叫「金」。雖然我們把這種古代用來製造武器、器物的金屬叫「青銅」，但這些器物當年剛被鑄造出來時，並不是現在這般模樣。事實上，青銅器剛鑄造好時會閃耀著金色的光澤，所以那時的人把它們叫作「金」，我們也因此稱呼鑄刻在青銅器上的文字為「金文」。

那麼，這位有司「利」拿這件器物幹什麼了呢？最後一句「用作檀公寶尊彝」，他把這件器物當作紀念祖先檀公的珍貴禮器。

如今，看著這件收藏於國博裡的利簋，我們輕易就能聯想到那個原始、鐵血、殘暴、新舊交替的時代。短短三十三個字告訴我們，古代王朝的更替絕不是純粹的文明謙讓、有道伐無道的過程，而是經過血火的洗禮。

不過分析了老半天，「武王伐紂」到底是哪一天？

這個問題至今依然有爭議，在一九九八年舉辦的「夏商周斷代工程」會議上，歷史學者江曉原的結論是「牧野之戰」發生於西元前一〇四四年一月九日。但也有專家根據利簋的銘文檢查《國語》的天象紀錄，計算出武王伐紂的時間是西元前一〇四六年一月二十日早晨，也就是武王十一年正月甲子日清晨。

除了中國斷代工程和歷代學者的研究，武王伐紂的日期之謎早就是全世界學者的共同研究課題之一。我相信隨著科技水準的提高，再加上考古學和文物學的進一步發展，這個謎團終會被解開。

錢鏐鐵券：貨真價實的免死金牌

《水滸傳》裡的小旋風柴進不論何種朝廷重犯、土匪、好漢都敢收留，主要是仗著家裡有一塊祖傳的「丹書鐵券」，或叫「誓書鐵券」。

什麼叫「丹書鐵券」呢？其實就是一塊「免死金牌」，是古代帝王賜給功臣或重要貴族的憑證。憑這鐵券，一家人世世代代都能享受各種特殊待遇。

在《水滸傳》裡，柴進家的鐵券是宋太祖趙匡胤賜的。當初趙匡胤看後周世宗早死，只剩下孤兒寡母，便奪了人家的皇位，發動陳橋兵變，黃袍加身。之後一方面為了安撫民心，一方面也為了標榜自己的正統性，下旨厚待柴氏子孫（後周皇裔），賜予「丹書鐵券」。有

錢鏐鐵券

了這塊鐵券，柴氏後人即使犯罪也不能加刑，更讓柴進有恃無恐——林沖殺了陸謙，燒了草料場，他敢收留；宋江殺了閻婆惜，他敢收留；武松在家鄉毆打他人差點致死，他同樣敢收留。

不過，真的有「丹書鐵券」嗎？

國博就保存了一塊真實的「丹書鐵券」——錢鏐鐵券。這塊鐵券的形狀就像一塊比較寬的瓦片，或像一張展開來且有弧度的書卷。材質是鐵，重五百多公克，縱長二十九．八公分，橫長五十二公分，厚二．一四公分。鐵券正面刻有銘文二十五行、落款一行，共計二十六行文字，其中赫然寫著：「卿恕九死，子孫三死，或犯常刑，有司不得加責。」意思就是說憑這塊鐵券，被賜予者犯下九次死罪都可以不受罰；其子孫犯死罪三次可以不受罰；若是一般的常規犯罪，各相關部門都不許對其施以懲罰。

這塊鐵券的主人是誰？五代十國的重要人物錢鏐是也。

殘唐五代——梁、唐、晉、漢、周是中國歷史上一段極其混亂的時期。自安史之亂後，唐朝基本上進入節度使藩鎮割據的年代，再經過黃巢起義，唐王朝已經搖搖欲墜。此時很多藩鎮已不把大唐朝廷放在眼裡，紛紛擁兵自重。就在這個時候，割據兩浙的義勝軍節度使董昌在越州（今紹興）自立為帝。

鐵券主人錢鏐先前是董昌的部下，看到董昌自立為帝便寫信給他，勸他不要行僭越之事，放棄稱帝。但董昌不聽。錢鏐於是領兵攻打越州，滅了董昌。為了表彰錢鏐這次平定叛亂的功勞，當時的皇帝唐昭宗賜給他這塊鐵券。

錢鏐討伐董昌時就是鎮海軍節度使，之後又被加了鎮東軍節度使的官銜，一下子成了割據兩浙的大軍閥。錢鏐也的確非常聰明，整個五代十國，他從不主動挑釁其他勢力，也不稱霸。在那種多方博弈的格局裡，他不當出頭鳥，採取逐漸壯大、跟隨大勢力的生存戰略。唐亡後，後梁、後唐這些中原王朝都主動拉攏錢鏐，封他為越王、吳王、吳越王、吳越國王。北宋初年，他的孫子錢弘俶主動「納土歸宋」，錢氏家族得以保全，享受榮華。

錢氏家族割據兩浙的時代，對待當地的百姓相對友好，算得上是保境安民。由於吳越一帶的經濟比較繁榮，在那個刀光劍影、兵荒馬亂的年代裡有點像是世外桃源。錢鏐和他的家族興修水利，鼓勵農桑，發展經濟，為當地百姓做了不少好事，當時就有評價說「錢塘富庶盛於東南」。這樣的家族能擁有一塊「丹書鐵券」，也算是好人有好報。

The Palace Museum

CHAPTER 5

皇城遺跡：中國北京故宮博物院

北京故宮是明、清兩代的皇城，藏品數不勝數。除了現有的藏品，歷史上從故宮流失的文物，包括在侵略戰爭中被劫掠走的、在皇宮中被毀壞掉的，以及監守自盜的，很難計算出藏品總量。

說起中國的博物館，大部分人都會想到北京故宮博物院（簡稱「北京故宮」），舊時的紫禁城。

關於北京故宮，可能很多人都非常了解。這幾年各種相關新聞和節目數不勝數，比如央視的大型紀錄片《故宮》和《我在故宮修文物》。北京故宮的來龍去脈「汗牛充棟」，這裡還能說出些什麼新花樣呢？我們不妨先來看幾個數字。

首先是遊客數量。二〇一七年，北京故宮的遊客數量達到了一千六百九十九萬人，相當於荷蘭的全國總人口數。再看收入，光是北京故宮的文創研發交流中心這個部門，二〇一七年的線下收入就達一億元人民幣；線上收入將近五千萬元人民幣。

北京故宮占地面積七十二萬平方公尺，建築面積約十五萬平方公尺，有大小宮殿七十多座，房屋九千餘間，是世界上最大的宮殿建築群。這麼大的博物館，藏品有多少呢？據公開資料，館藏文物有一百八十六萬件（套），除去檔案和古籍，光器物和書畫也有一百二十萬件（套）左右。

有意思的是，這個數字還在慢慢增加，這座龐大的宮殿群裡還不停地發現新的寶物。比如二〇一四年，工作人員在庫房發現兩個箱子，打開後裡面居然是乾隆皇帝二萬八千多首御制詩詩稿。又比如二〇一七年北京故宮大修，在欽安殿的寶頂裡發現了大量的藏文經卷。這類意外發現在北京故宮可謂層出不窮。

北京故宮的寶貝確實是數不勝數。除了目前現有的藏品，歷史上從故宮流出去的文物，

中國北京故宮博物院

包括在侵略戰爭中被劫掠的、在皇宮中被毀壞的、從宮中監守自盜的，若統統要計算，恐怕沒有人給得出一個準確的數字。

北京故宮是明、清兩代的皇城，相關「皇城史」想必大家已經非常了解。但一座皇城怎麼變成博物館的呢？這得從一九二四年的一場政變說起。

「北京政變」的故事

一九二四年的中國正處於軍閥混戰階段。當時，北方最有實力的兩派軍閥是直系和奉系。直系的「直」指的是「直隸」，勢力範圍的核心區域在今天河北一帶，為首軍閥是曹錕和吳佩孚。奉系的「奉」就是「奉天」，也就是今天的瀋陽，首領是「東北王」張作霖。這兩派為了爭奪北京、爭奪中國北方的控制權，從一九二二年到一九二四年發起了兩次「直奉大戰」。第一次直奉戰爭，東北的張作霖戰敗，退出山海關。但他不甘於失敗，厲兵秣馬兩年後，於一九二四年再次揮師南下，打算和直系的吳佩孚一決雌雄。

而這兩派軍閥之間，還有另一股十分重要的力量直接影響了兩次直奉戰爭的走向。那就是西北軍，領導人馮玉祥。

我們很難給予馮玉祥這個人單一評價。軍閥混戰期間，他背叛、綁架、暗殺，「演」過很多醜劇；抗日戰爭期間，他堅持抗戰，四處奔走，展現愛國情懷。周恩來說他是有愛國心但政治視野有局限的舊軍人，應該還蠻公允的。

軍閥混戰的年代，馮玉祥名聲不佳，主因就是太愛倒戈。此人有個綽號叫「倒戈將軍」，據統計他一生前後倒戈多達九次。有人說這是他謀略過人的表現，也有人說他是一個反覆無常、背信棄義的小人。張學良如此評價馮玉祥：「專門說謊話，最後沒人信他。」

總之，馮玉祥領導的西北軍在當時是一股不可小覷的力量，直系想拉攏，奉系也想拉攏。一九二四年第二次直奉戰爭時，馮玉祥本來的任務是繞到奉軍背後，配合吳佩孚前後夾擊。當吳佩孚率領直軍主力和奉軍在長城一帶正面交鋒時，馮玉祥卻突然宣布倒戈，全軍南下，回師北京。這麼一來，直軍不但無法前後夾擊奉軍，反而被奉軍和馮玉祥前後夾擊，當然一下子就敗了。

馮玉祥回師進入北京時，由於直軍吳佩孚的主力都在前線和奉軍張作霖作戰，北京空虛，他輕輕鬆鬆就進入北京城，發動了震驚中外的「北京政變」。

馮玉祥到底做了什麼呢？他先發動政變，監禁名義上的中華民國大總統曹錕，成立臨時內閣，然後發電報去廣州，邀請孫中山北上主持大局。但誰也沒想到，做完這些之後，他馬上命令手下大將鹿鐘麟帶兵進入紫禁城，逼迫清朝末代皇帝溥儀在三小時內立刻搬家。

你可能會問，此時不都是民國了嗎？怎麼還有皇帝？一九一二年中華民國建國之初舉行了南北和議，經過磋商，清王朝體面退位，民國政府給予皇室以下優待：清帝尊號不廢、以外國君主之禮對待、每年撥給四百萬銀圓等。所以此時雖已是民國，但北京紫禁城裡還住著一個「小朝廷」，皇室所有私產都獲得保護，清朝的遺老遺少和八旗貴族仍然繼續承襲原有的爵位。

馮玉祥十分看不慣這些，屢屢想徹底廢掉清皇室，一直沒機會。「北京政變」終於讓他能夠親手把清皇室趕出紫禁城。推翻二千年帝制的固然是辛亥革命，但最後真正把皇帝拉下馬的，卻是馮玉祥。

一九二四年十一月五日，總數只有二十多名的員警手槍隊闖進紫禁城，領隊的是北京警備總司令鹿鐘麟、員警總監張璧，還有社會知名人士李煜瀛（又名李石曾，北京故宮創建人之一）。

當時，清室正在召開所謂的「御前」會議，聽說鹿鐘麟前來「逼宮」，內務府大臣紹英急忙出迎。鹿鐘麟將新制定的清室優待條件*往紹英手中一塞，告訴他舊的優待條件已作

* 清室優待條件包括《關於大清皇帝辭位之後優待之條件》、《關於清皇族待遇之條件》、《關於滿蒙回藏各族待遇之條件》三份。

廢，趕快在新條件上簽字，收拾東西搬出紫禁城。邊說邊掏出兩顆炸彈，丟在「御前」會議桌上，在場的清皇室成員全嚇得面如土色。過了一會兒，鹿鐘麟看溥儀還在磨蹭，便對手下命令：「告訴景山，事情還在商量，先不要開炮放火，再延長二十分鐘！」溥儀一聽，大驚失色，心想景山就在紫禁城後門，居高臨下，大炮一響就徹底完了，只好帶著皇室成員從神武門走出了故宮，真正是「最是倉皇辭廟日，教坊猶奏別離歌，垂淚對宮娥」。

關於馮玉祥驅逐溥儀這件事，直到今天各方的評價不一。有人說，馮玉祥仇恨帝制，塑造共和，是大英雄；有人說，馮玉祥只是為自己的政變打上崇高的標籤，是作秀。然而不管怎樣，這件事讓北京故宮和俄羅斯冬宮、法國羅浮宮一樣，因為革命而從宮殿變為博物館，它們收藏的珍品也從個人私產真正變成全人類的財富。

事實上，辛亥革命勝利以後，北京故宮本來就應全部收歸國有，卻因為清室優待條件，溥儀和所有皇室成員還住在裡頭。北京故宮的格局為「前朝後寢」，皇室就住在「後寢」裡。原本的皇帝辦公區域「前朝」當時已被民國政府收回，熱河行宮（承德避暑山莊）和盛京（瀋陽故宮）的文物也已移來此處，並於一九一四年成立「古物陳列所」，也就是北京故宮的前身。

值得一提的是，按照清室優待條件，民國政府每年要撥四百萬銀圓給清皇室當生活費，但民國政府基本上從未按時支付，清皇室以此為藉口，大肆販賣文物，以維持原本的奢侈生活。此段時間流失的文物如今已無法統計。據載，當時從溥儀本人一直到底下的宦官，幾乎人人都不停地抛售宮中文物，直到一九二四年鹿鍾麟的手槍隊闖進故宮，這種情形才算暫時告一段落。為什麼說是「暫時」呢？因為溥儀到了天津之後，仍然大量贈送和販賣文物。

宛如奇蹟的國寶南遷

好了，溥儀走了，清皇室留下這麼多「私產」該如何處理？由於文物過多，「古物陳列所」難以管理，內閣後來成立「辦理清室善後委員會」，專門負責清理清皇室公私財產並處理一切善後事宜。

一九二五年九月，該委員會制定《故宮博物院臨時組織大綱》，大家開始使用「故宮博物院」此一稱呼。這份大綱規定，應設立臨時董事會管理「故宮事務」，董事會成員包括了盧永祥、張學良、鹿鍾麟這些軍閥代表，也有熊希齡、梁士詒、于右任這些政界元老，還有蔡元培、莊蘊寬、李石曾等學界領袖，也設立了理事和理事長。

隨後，該委員會動員人力、物力，針對遺留下來的各種珍寶做了統計。據清室善後委員會統計後編訂的《故宮物品點查報告》顯示，清宮遺留文物共有一百一十七萬餘件，包括三代鼎彝、遠古玉器、書法名畫、陶瓷、琺瑯、漆器、金銀器、竹木牙角匏、金銅造像，以及服飾、衣料、家具等，可謂萬寶雲集。

一九二五年，故宮正式建院，並在乾清門前的廣場上舉行了建院典禮。開放第一天，北京萬人空巷，交通堵塞，大家爭先恐後想看看皇家御寶的模樣，這則新聞也登上了各大報紙的頭條。

不過，剛成立那幾年由於時局動盪，故宮曾經多次被不同勢力接管，甚至一度瀕臨夭折，直到一九二八年十月南京國民政府特別公布了《故宮博物院組織法》、《故宮博物院理事會條例》和二十七位理事的任命名單，故宮的發展才得以穩定下來。「國民黨四大元老」之一的李石曾成為理事長，他的親家、當過湖南第一師範學校校長的著名教育家易培基則是首任院長。

一九三三年，距離「七七事變」爆發愈來愈近，有鑑於當時的社會形勢十分危急，故宮為了文物的安全，展開了後世津津樂道的「國寶南遷」。

首先，相關人員在南京興建文物庫房，成立故宮博物院南京分院。一九三三年二月起，故宮開始打包精選出來的文物。早年因為人手不夠，請了琉璃廠的古董商來幫忙。這些古董商人打包的包裹不但結實，還嚴絲合縫，專業至極。每件文物的包裝至少有四層：紙、棉花、稻草、木箱，有的外面還會再套一個大鐵箱。又比如瓷器，由於不同大小的瓷器包在一起會導致破損，所以將大型瓷器包在一起，小型瓷器也包在一起，諸如此類。他們還在箱外貼上不同的字，有的貼「長」，有的貼「永」。有人不解，請教是什麼意思，原來這是古董行所謂的「祕字」，「長」代表「長春宮」，「永」代表書法作品，每個字都有獨特的含義。這些古董商人在故宮文物南遷中，做出了獨特的貢獻。

最後，精選國寶被打包成一萬三千四百二十七箱又六十四包，分成五批，先運抵上海，再運至南京，完成了人類歷史上一次規模最大的文物遷徙。從留下來的老照片可以看到，當時打包用的大箱子不是今天常用的搬家紙箱，而是超過半人高、有一人多長的木頭大箱子。一箱箱被堆在午門前面的廣場上，一眼望不到邊。

結果，文物到了南京也不保險。一九三七年「七七事變」爆發，剛從上海轉運到南京的國寶只好再次西遷。這一次，故宮南遷文物，加上國立中央博物院籌備處的文物，兵分三路運往四川。這回南遷是在兵荒馬亂中進行的，錢鍾書《圍城》描寫過當時從上海前往大後方的場景，總的來說，人都自身難保，帶著近兩萬箱文物萬里遷移，更是難上加難。

據當年參加南遷的工作人員回憶，其實整件事從一開始就沒有詳細計畫，大多數時間都是走一步看一步，隨機應變。南遷文物先後抵達長沙、漢中、成都、重慶等多處地方，很多次是前腳剛剛離開，後腳便有敵機轟炸。除了敵人，還得對抗白蟻、潮溼和鼠患。文物不僅要運，還要定期晾晒、保養、裝箱、入庫。然後再起運、再開箱、再保養、再入庫……這麼多文物在如此惡劣又驚險的環境中搬遷，沒丟失、沒損壞，最後「完璧歸趙」，甚至在重慶舉辦了西遷文物戰時展覽，堪稱奇蹟。

最後，文物總算安全抵達四川一帶，在巴縣（今重慶市巴南區）存八十箱，在峨眉縣（今峨眉山市）存七千二百八十七箱，在樂山縣（今樂山市）存九千三百三十一箱。抗戰勝利之後，這些文物在一九四六年集中於重慶，並從一九四七年開始運回南京。到了一九四八年底、一九四九年初，南遷文物中二千九百七十二箱被運到臺灣，成為臺北故宮博物院館藏。一九五一年後，留在南京的文物陸續有一萬餘箱運回北京故宮，剩餘二千二百二十一箱留在南京庫房，劃歸為南京博物院所有。至此，這次史詩般的文物遷徙終於塵埃落定。

我們應該衷心感謝當年這些跋山涉水、為了保護國寶而無私付出的人。他們不僅是故宮的工作人員、學者，還有大量的文物古玩商人、腳夫、護衛的軍隊士兵，還有途中伸出援手的普通農夫。這些人大部分都是普通人，已無從得知他們的名字，但是他們默默做的這一切，卻為保護老祖先留下的遺產，保存中華民族的文明之光，做出了卓越的貢獻，絕對值得我們致上崇高的敬意。

二十世紀五〇年代初，北京故宮的工作人員展開全面整理，光是清出去的垃圾竟然高達二十五萬立方公尺，幾乎可以填滿一座人工湖！此外也制訂了古建築維修方針和文物保護的系統性方案。經過幾十年努力，歷經滄桑的北京故宮不僅重獲新生，再次展現這座帝王皇城的威嚴和雄偉，收藏其中的百萬件珍寶也得到了系統性保養和修復，恢復了本來的風貌和神韻。

現今，北京故宮除了向全世界的遊客和參觀者展示中國傳統文化的古老、深厚和神祕，也默默講述著百年來那一段段驚心動魄的傳奇、滄桑與沉浮。

說不盡的《清明上河圖》

提到北京故宮的館藏，很多人會想到《清明上河圖》。的確，對於華人來說，這幅畫僅就名氣而言，幾乎可說是中國版《蒙娜麗莎》或《最後的晚餐》。由於《清明上河圖》描繪的內容、筆法，如何表現北宋東京汴梁的繁華，大家早已有所了解，這裡僅分享幾則相關趣聞。

首先，《清明上河圖》是誰畫的？

前面講大英博物館《女史箴圖》時介紹了東晉大畫家顧愷之，講羅浮宮《蒙娜麗莎》時介紹了達文西。這兩個人有出身、有經歷，一生中做過什麼事，結交了哪些朋友，有什麼軼事，歷史上都有詳細記載。但是《清明上河圖》的作者張擇端，我們對他幾乎一無所知。

身為創作《清明上河圖》如此神品的作者，理應是一位馳名的大畫家。可奇怪的是，張擇端這個人在歷史上幾乎無跡可尋。我們之所以知道《清明上河圖》是他畫的，完全是因為畫上面有金朝人張著寫的一段跋文：「翰林張擇端，字正道，東武人也。幼讀書，遊學於京師，後習繪事。本工其界畫，尤嗜於舟車、市橋、郭徑，別成家數也。」除此之外，無論我們翻閱什麼資料，都很難找到這位大畫家的任何記載。根據張著的跋文，張擇端是一位翰林，東武人（今山東諸城人），善於畫舟車和市井風情。

畫者生平不詳並不是《清明上河圖》唯一的怪現象。《清明上河圖》的版本也存在爭議。一般來說，目前在北京故宮的這幅應該是公認的正版。但據說，明代大畫家仇英和沈周都畫過《清明上河圖》，畫的題材和畫面內容也很類似。還有一種說法認為臺北故宮收藏的版本才是真正的《清明上河圖》。

《清明上河圖》的版本真偽並不是現在才有爭議，明、清已有。清朝時，有人說現存北京故宮的這幅《清明上河圖》是假貨。別人問為什麼。他說圖裡有個場景畫了四個人在擲骰子。根據畫面顯示，擲骰子的人運氣不錯，前兩個骰子都是「六點」，只剩下一個骰子還在轉。擲骰子的人張大了嘴喊「六」助陣，可是東京汴梁（今河南開封）位於北方，北方人喊「六」是撮起嘴的，畫中人卻張嘴，這是福建口音。*換言之，畫畫的人應該不是北方人，這幅《清明上河圖》是贗品。

這種說法的存在反映了一個很實際的問題，那就是《清明上河圖》這幅畫確實引人關注，否則不可能出現如此細膩的另類觀察。但客觀來說，畫中人喊的未必是「六」，即便喊的就是「六」，誰說這位擲骰子的仁兄一定是北方人呢？

那麼，北京故宮這幅《清明上河圖》到底是不是真品？這個問題直到二十世紀五〇年代才由專家最後確認。溥儀當初被趕出來時，隨身攜帶了好幾卷不同版本的《清明上河圖》，專家們一致認定現在這個版本為真品。要證明其實也很簡單，這裡僅舉一例。凡是後來明、清畫家仿製的《清明上河圖》，畫卷中間那座飛虹橋都被畫成了磚石結構，而根據《東京夢華錄》等文獻記載，這座橋應該沒有橋墩，全部是巨大的木製結構。今天被判定為真品的這

《清明上河圖》局部

一幅與歷史記載嚴絲合縫，真實還原了北宋時期這座橋的原貌。

版本雖然沒什麼可懷疑的，但如果像前述小故事裡那位質疑者一樣，拿起放大鏡仔仔細細觀察，還是能看出這幅畫隱藏了很多祕密。

比如說，歷來都認為《清明上河圖》描繪的是北宋東京汴梁城在清明時節的繁華景象。可是仔細看就會發現，畫裡有人拿著扇子搧風，還出現了茄子，這些好像不是清明時節該出現的。有的人以此為證，認為所謂的「清明」並不是指節氣「清明」，而是指「政治清明，百姓安居樂業」，描繪的應該是秋天的場景。

最有趣的是，這幅畫還講了很多隱祕的故事，但一般人恐怕就無法一眼看出來了。其中一個故事發生在飛虹橋旁。只見一艘船打橫在河中心，透過畫上描繪的河水漩渦判斷，水流很急，這艘船已經收不住了，正全速朝飛虹橋急衝而去，船上的夥計正急

＊舉這個例子的是清代人。清代人認為北宋時代汴梁官話應為北音，「六」為撮口音，而畫上畫的「六」為開口音，疑為閩音。事實上，今天已知北宋時代的官話和後來的北方話區別甚大。

《清明上河圖》局部

忙收帆，船頭幾位船工衝著前方大聲喊叫。隔著飛虹橋，橋的另一側有一艘已經安全通過橋洞的船，船上的人正回頭看。飛虹橋上，幾個老百姓已經站到了欄杆外側，表情驚慌。還有兩個普通小官模樣的人騎在馬背上準備上橋，發現了河裡發生的險情後，朝河面看過去。而在他們對面，一頂轎子打算上橋，隨從正在橋上驅趕閒雜人等，對河上發生的事故一無所知。張擇端捕捉到了這驚心動魄的一瞬間，並將它永遠定格在這幅傳世名作上。

我們可能會有很多疑問。比如，這艘船為什麼會突然打橫？是船工忘了正常的操作手續，還是發生了突發情況？又或是船故障了？船上的人和前面那艘已經穿過橋洞的船上的人是什麼關係？是不是因為指揮出了問題？畫家為什麼要把這個場景畫進來？畫家想告訴我們什麼？

這類場景在《清明上河圖》中很多，其中很多場景和它們背後的原因、故事，今天已經無從知曉。這幅傳世名作不僅是一幅普通的市井風情畫，也忠實記錄了北宋晚期東京汴梁城的風情，既記錄了繁華、熱鬧、盛世，更記錄了捐稅繁多、官兵懶散、社會不同階層之間存在不公平等現象，對於研究北宋年間的市井風貌、社會經濟狀況、社會各階層人民的生活狀況、風俗習慣，價值實在無法估量。至於《清明上河圖》本身的藝術價值，大家早已耳熟能詳，此處就不再贅述了。

三希堂裡的書法名作

北京故宮祕藏的文物裡，書畫占了一大部分，其中有幾幅名作應該要了解一下。

說起書法，北京故宮裡最有名的要數乾隆皇帝的「三希堂」。「三希堂」就是故宮養心殿的西暖閣，乾隆皇帝把它當作自己的書房，命名為「三希堂」。很多人都認為三希堂得名於乾隆皇帝收藏的三件書法名作——王羲之的《快雪時晴帖》、王獻之的《中秋帖》和王珣的《伯遠帖》。這說法不夠精確，因為「三希堂」本義「士希賢，賢希聖，聖希天」，即「士人希望成為賢人，賢人希望成為聖人，聖人希望成為知天之人」，是皇帝用來自勉的話。不過，若說三希堂是因為這三件書法瑰寶而出名，倒也不無道理。三希堂裡不只這三張帖，乾隆皇帝蒐集了近千件歷代名家墨蹟。

大家津津樂道的「三希」這三件作品，作者彼此之間是親戚。「書聖」王羲之和王獻之是父子。王珣則是王羲之的遠房侄子，同樣屬於琅琊王氏。唐朝大詩人劉禹錫有詩「舊時王謝堂前燕，飛入尋常百姓家」，其中的「王謝」，「王」指的就是王氏，「謝」指的是以謝安為首的謝氏，兩家都是東晉時代的大門閥，也就是歷史課本中的「士族」，與「庶族」相

《中秋帖》

對。所謂的「士族」，簡單說就是大貴族，血統高貴，在朝廷地位極高。而從書法成就來看，這三個人的書法造詣顯然是登峰造極。

另外需要說明，「三希」不全是三位大書法家的真跡，三張裡只有兩張在北京故宮。首先，《快雪時晴帖》現存臺北的國立故宮博物院，但不是王羲之的真跡，而是唐代褚遂良的臨摹本；《中秋帖》也不是王獻之真跡，據說現存版本是宋代大書法家米芾的臨摹本；只有王珣的《伯遠帖》是當年遺留下來的真跡。

關於《中秋帖》和《伯遠帖》，也有段精彩的故事可說。

當年清皇室出宮時，《中秋帖》和《伯遠帖》被敬懿皇貴妃，也就是同治皇帝的妃子赫舍里氏帶走，賣給了古玩店。一九四九年，「二希」被一位叫郭昭俊的收藏家在香港抵押給了一個印度人。這個印度人隨後又把這兩件寶貝抵押給了香港滙豐銀行。一年以後，抵押到期，郭昭俊沒錢還印度人，印度人也沒錢還銀行，銀行自然是準備出

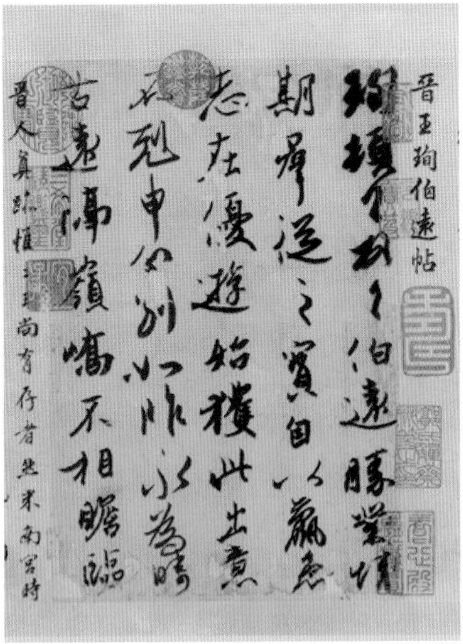

《伯遠帖》

售這兩幅墨寶。這時郭昭俊急了，找上香港當時著名的文物鑑賞家徐伯郊幫忙想辦法。

巧的是，由於十分重視流失文物的搶救和搶購，中華人民共和國政府於一九五一年特別成立了祕密文物收購小組，由當時的國家文物局局長鄭振鐸直接負責，徐伯郊則是該小組領導人。

徐伯郊聽到這個消息後，正中下懷，卻不敢聲張，因為消息一旦洩露，難免出現覬覦國寶的人，打草驚蛇。他一方面假裝對郭昭俊的生意深感興趣，穩住郭，一方面利用自己在銀行界的人脈找上滙豐銀行，上下打點，疏通關係，答應替郭昭俊還錢。最終以三十五萬港幣成功地把《中秋帖》和《伯遠帖》收購回來。在北京故宮欣賞聞名天下的「二希」時，恐怕很難想到，它們背後還有這麼一段曲折的故事。

那麼，「二希」寫的到底是什麼呢？

先說《伯遠帖》。《伯遠帖》是王珣寫給一位叫「伯遠」的親戚的信，一共只有四十七個字，內容只是親友之間的絮叨。王獻之《中秋帖》更短，總共才二十二個字，但「中秋不復不得相，還為即甚省如，何然勝人何慶，等大軍。」到底是什麼意思，現在仍不得而知。

王獻之這幾筆書法，最早是宋太宗年間在一本名為《淳化閣帖》的書法字帖裡出現的，裡面收錄了一幅王獻之的字，叫《慶至帖》。北宋末年，大書法家米芾收藏了一幅字，叫《十二月割帖》。根據考證，這幅字和《慶至帖》來自同一張帖，不知道是誰把原帖割了開來，導致兩張帖都缺字、不連貫，難以探其原意。而米芾因為對王獻之這幅字讚賞有加，於是加以臨摹。臨摹時不但沒把《十二月割帖》寫全，還寫錯了幾個字，最終成了今天這幅《中秋帖》。

除了《中秋帖》、《伯遠帖》、《清明上河圖》，北京故宮裡的書畫作品不計其數。畫作有東晉大畫家顧愷之的《洛神賦圖》、隋朝大畫家展子虔的《遊春圖》、唐代大畫家閻立本的《步輦圖》、韓滉的《五牛圖》、北宋大畫家郭熙的《窠石平遠圖》、巨然的《秋山問道圖》等。書法方面則有世界現存年代最早的名家書法，比如西晉陸機的《平復帖》、三種王羲之《蘭亭序》的最佳唐代摹本、詩仙李白的唯一存世真跡《上陽臺帖》、大詩人杜牧的真跡《張好好詩》等。其餘如歐陽詢、顏真卿、柳公權、范仲淹、米芾等人的作品，更是不在話下。

清乾隆金髮塔

除了書畫，北京故宮還收藏了數不勝數的大量陶瓷、青銅器、工藝美術品、銘刻、玩具、文房四寶、鐘錶、宮廷典章文物等，這裡僅再舉一件特殊的藏品，那就是清代著名的金器——清乾隆金髮塔。

這座金髮塔高一．五公尺，塔底約〇．七五平方公尺，由下盤、塔斗、塔肚、塔頸、塔傘等部分組成，全塔上上下下都鑲嵌了綠松石、珊瑚等珠寶，底下再用非常精美的紫檀木蓮花瓣須彌座托住。

這座塔的塔肚供了一尊佛龕，佛像後面放了一個盛放頭髮的金匣，金匣正面裝飾著六字真言，極其精緻。金匣裡放著誰的頭髮呢？「甄嬛」，也就是崇慶皇太后。

隨著連續劇《甄嬛傳》熱播，大家對於「甄嬛」其人並不陌生。雖然連續劇虛構部分極多，與真實歷史相差甚遠，但若拿金髮塔的頭髮主人身分對比一下，至少輩分是對得上的，因為金匣裡盛放的是乾隆皇帝生母崇慶皇太后的頭髮。這麼一對照，這頭髮的主人豈不就是連續劇裡的「甄嬛」嗎？

當然，歷史與連續劇是兩碼子事。乾隆二十五歲登基，生母崇慶皇太后（孝聖憲皇后）比他年長了差不多十八歲。乾隆曾經發願，自己的執政時間不能超過爺爺康熙皇帝。算下來，康熙執政六十一年，乾隆如果壽命夠，到了八十六歲就該自動退位。

不過，時間一長，到了乾隆三十七年，六十二歲的乾隆皇帝看自己活得好好的，身體挺結實，後悔當年立了那個願，便以母親崇慶皇太后還很健康為藉口，說太后在位時皇帝退位，稱呼會變得很尷尬，決定就算到了八十六歲也不退位。

到了乾隆四十二年，也就是乾隆皇帝六十七歲時，崇慶皇太后去世了。傷心欲絕的乾隆下令隆重舉辦喪事，這尊金髮塔就是在這種情況下打造的。為了製作這座塔，工匠用了黃金三千多兩，是當年造辦處的傑作，我們耳熟能詳的大貪官和珅則是這座金髮塔的督辦。皇帝如此不惜重金給太后辦喪事固然是「以孝治天下」，但若想到修改發願一事，恐怕也有混淆視聽的成分在內。

北京故宮藏品之多，不勝枚舉。藏品背後隱藏的無數故事更是一年半載也說不完，這裡就此打住。

National Palace Museum

CHAPTER 6

中華文物的「半壁江山」：臺北國立故宮博物院

臺北故宮的規模雖然比北京故宮小，但收藏了很多精品，比如王羲之的《快雪時晴帖》、元代大畫家黄公望聞名天下的《富春山居圖》。

國立故宮博物院

有人說，臺北的國立故宮博物院珍藏了中華文物的「半壁江山」，這說法有一點誇張，不過臺北故宮的規模雖然比北京故宮小得多，藏品數量只有將近七十萬件，但其中很多文物確實都是精品。

書聖墨寶《快雪時晴帖》

介紹北京故宮時提過《中秋帖》和《伯遠帖》，「三希堂」中的「二希」，而另一「希」——王羲之的《快雪時晴帖》，就保存在國立故宮博物院。

關於這一幅《快雪時晴帖》，宋、元時代大畫家趙孟頫曾鑑定它是王羲之的真跡，可是這個說法一直受到質疑。很多人說這個版本是唐朝褚遂良臨摹的摹本；有的學者則認為這幅字不是褚遂良的摹本，而是有人用「雙鉤填廓」法製作出來的摹本。

什麼叫「雙鉤填廓」？簡單說就是「先描邊，再填色」。舉個例子，如果我們想臨摹這幅《快雪時晴帖》，要先

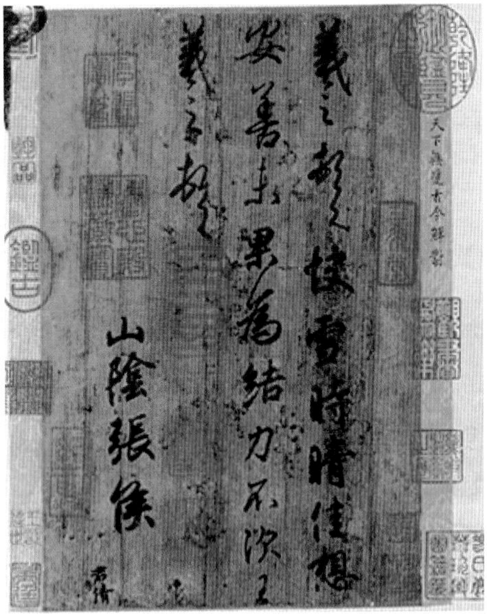

《快雪時晴帖》

用細筆把原本的字跡輪廓勾畫下來，勾出一個類似小時候學寫毛筆字時用的紅線模本，然後再在輪廓裡填上墨色。這樣一來，高明的臨摹者臨摹出來的字和原作相比，就看不出什麼區別了。

根據今天所知的資訊，趙孟頫鑑定了諸多作品，其中很多件作品都有摹本的嫌疑，他卻把它們鑑定成真跡，比如《思想帖》、《眠食帖》、《孝女曹娥碑》等。中國大書法家啟功曾推測，趙孟頫很可能因為某些政治壓力，不得不將這些臨摹本鑑定成真跡。

說穿了這種事在歷史上層出不窮，並不新鮮。比方說，某幅作品是皇帝收藏的，找了當時的大書畫家幫忙鑑定，書畫家在這種情況下難免做出偽證。因此啟功分析，趙孟頫當年很可能就是受到了這種壓力。

但是，不管爭議多大，也不管現存的《快雪時晴帖》和《中秋帖》到底是不是王羲之、王獻之原作，這兩張帖能流傳至今、傳承有序，已經是非常了不起的文物。這兩幅書畫作品上有許多歷代名人的題跋和收藏印章，可見其為歷代名人所稱

《富春山居圖》後半截《無用師卷》

道。儘管是不是「二王」原作仍有疑問，但都是中華文化的國寶，不容置疑。

命運多舛的《富春山居圖》

提到臺北故宮收藏的書畫作品，有一幅畫不能不提——《富春山居圖》。

《富春山居圖》是元代大畫家黃公望的作品，這幅畫聲名遠揚，相關的豐富內容、精湛的繪畫技巧、藝術價值就不贅述，卻值得說一說隱藏在背後的傳奇故事。

六百多年前的某一天，畫家黃公望駐足富春江邊，看到水天一色、煙波浩渺、氣勢雄渾的美景，心念一動，決定創作一幅以此為背景的山水畫。結果這一畫就畫了整整四年（也有人說畫了七年）。

站在江邊觀景，心念一動時，大畫家已是八十歲高齡。這幅畫一畫完，大畫家便與世長辭。

黃公望非常珍視這幅畫，在題跋裡先描述了自己辛苦作畫的過程，然後寫道：「有巧取豪奪者，俾先識卷末，庶使知其成就之難也。」意思是，我希望以後想巧取豪奪這幅畫的人，先看看這篇跋文，明白創作這幅畫的艱難。今日再看此篇跋文，似乎畫家當時就已感知到這幅畫命運多舛。

明朝末年，這幅畫流傳到了一位名叫吳洪裕的收藏家手裡。吳洪裕一輩子收藏了許多藝

術品，只對《富春山居圖》情有獨鍾，看得比性命還重要，臨死時還不忘囑咐家人燒畫當陪葬品。

《富春山居圖》燒了嗎？燒了，但是沒有全部燒掉。據說，吳洪裕臨死前非要看著這幅畫被燒才肯咽氣。家人沒辦法，只好燒。侄子吳靜庵跑過來一看，立即把這幅畫從火盆裡搶救下來。這幅傳世名畫此時已被燒成了一大一小兩截。前半截的畫面只剩下一座光禿禿的山，後人取名《剩山圖》；後半截因為題跋的文字用了「無用師」三個字打頭，後人取名《無用師卷》。

到了清朝，這幅畫的後半截，也就是《無用師卷》傳到了乾隆皇帝手裡。偏偏此前一年，乾隆已先淘換了一幅名為《山居圖》的畫，當時他認為該幅必定是真跡。時隔一年，真正的《無用師卷》流入宮中，乾隆才知自己手裡那幅《山居圖》是贗品。卻因為礙於面子，非說《山居圖》是真跡，真正的《無用師卷》是贗品。大臣們雖然知道真相，只能將錯就錯，《無用師卷》直到嘉慶年間才正名。

至於前半截《剩山圖》，一九三八年，上海汲古閣一位叫曹友卿的古董商帶著一幅剛買的畫找上了畫家吳湖帆。二十世紀三〇、四〇年代，吳湖帆有「一隻眼」之稱，鑑定文物的眼力和功力非常棒。

只見這幅畫沒有落款，上面僅有「山居圖卷」四個字，而且有明顯的火燒痕跡，畫面不全，一看就是某幅畫的局部。吳湖帆一看，這不就是失傳已久的《富春山居圖》前半截《剩

《富春山居圖》前半截《剩山圖》

山圖》嗎？他馬上用家裡收藏的商代青銅器珍品和曹友卿交換，得到了這幅《剩山圖》殘卷。吳湖帆相當珍惜這件作品，甚至將自己的居室改名為「大痴富春山圖一角人家」。

後來，這件事被二十世紀的書法界泰斗沙孟海知道了。沙孟海當時在浙江博物館工作，覺得這樣一件珍品在民間流傳不利於保存，交給國家保存才是上策，專程前往上海和吳湖帆商量。經過多次交涉，吳湖帆終於被沙老的誠意感動，捐獻了這幅《剩山圖》。這幅《剩山圖》遂成為今天浙江博物館的鎮館之寶。

而這兩幅原本是一幅畫的作品，《剩山圖》在大陸，《無用師卷》在臺灣，相隔海峽，憑水相望，始終不能合璧。直到二〇一一年六月一日，故宮博物院和浙江博物院決定合作，讓這兩幅失散幾百年的「兄弟」相逢，於故宮的晶華三樓宴會廳合璧展出，共同傳承中華文化。＊

除了《快雪時晴帖》和《無用師卷》，故宮博物院還有大量的書畫名作，比如唐代大書法家顏真卿紀念侄子顏季明的《祭侄文稿》、大文學家蘇東坡的《寒食帖》、宋代大畫家范寬的《谿山行旅圖》等。

足抵《尚書》的毛公鼎

要說毛公鼎，得先介紹一下「毛公」是誰。

在遙遠的周朝，叫「公」，意味著此人受封的爵位是公爵。然而，歷史文獻中似乎很難找到太多關於「毛公」的記載。原來「毛公」就是《史記・周本紀》裡有極少量文字記載的「仲山甫」。

《史記・周本紀》記載，周宣王和「姜氏之戎」打仗，打了個大敗戰，跑到太原去「料民」。所謂的「料民」就是普查人口，大概是想抓壯丁打仗。結果這位「毛公」站出來說「民不可料也」，也就是不許你普查人口。

周宣王登上天子之位時，西周已走向落沒。雖然周宣王上任之初任用不少賢臣，西周有短暫中興的跡象，但他晚年與「姜氏之戎」打仗失敗後，西周國力也急轉直下。

出來阻止周宣王的「毛公」到底是何許人也？他家祖上是貴族，到了他這輩已是半農半商。周宣王在位時，他被推薦進朝廷當「卿士」，相當於後來的宰相。從他勸阻周宣王「料民」一事來看，想必是個有愛民之心的官員。

＊關於《富春山居圖》的故事有很多版本。本文取材自一九五八年《文物》雜誌與二〇一〇年《中國書畫》中徐邦達先生的文章。

毛公鼎

別看古書上記載的「毛公」事蹟不多，故宮收藏的毛公鼎上頭可是記了滿滿的事蹟。這些銘文都是以周宣王的口吻說的，長篇累牘，這裡不贅述，大意是說毛公是周朝的貴族，要為朝廷盡心盡力，周朝是偉大的朝代，要賜予毛公權力等。

毛公鼎的地位有點類似大英博物館的羅塞塔石碑，只不過羅塞塔石碑上的古埃及象形文字當時已經失傳，而毛公鼎上的金文至今依然流傳。夏、商、周三代的歷史資料不多，尤其是這種直接考古出土的文物，所以每一件都非常珍貴。毛公鼎上面總共有三十二行、近五百字的銘文，是現存青銅器銘文中最長的一篇，堪稱西周青銅器中銘文之最。有人說它「抵得一篇《尚書》」，意思是說，毛公鼎上面的文字和《尚書》裡一篇文章的資訊等量齊觀。研究毛公鼎能讓我們獲得關於那個年代的大量資訊，還能仔細觀察金文與甲骨文之間的流變，從而發現很多中文字演化的特徵與規律。這都讓毛公鼎的史料價值極高。

毛公鼎被發現的過程也非常特別。

清朝道光年間，陝西岐山縣一位叫董春生的村民把毛公

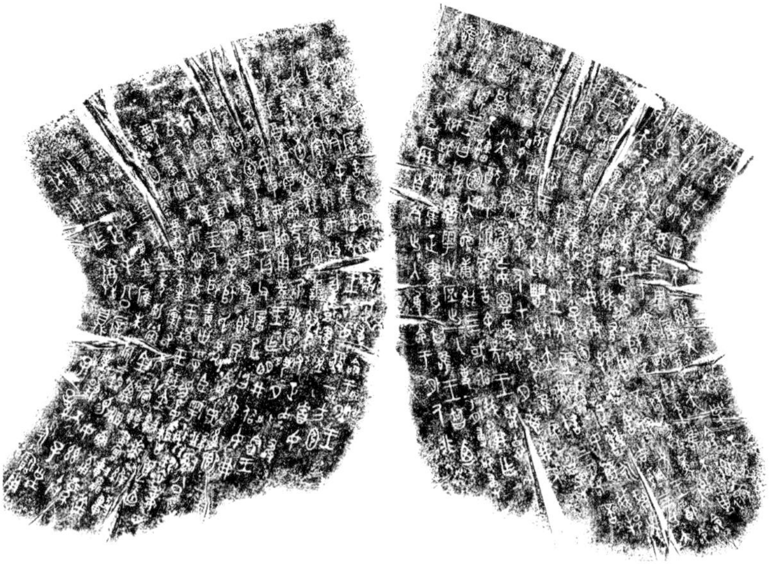

毛公鼎內壁拓片

鼎挖了出來，沒想到馬上惹來一大堆是非。先是古董商出錢買，出價幾百兩銀子，這在當年可是一筆鉅款。結果有個村民故意搗亂，不讓古董商做這筆買賣，著急的古董商跑到縣衙找縣官行賄。沒想到縣官二話不說，把這位古董商以私藏國寶的罪名抓了起來。

進入民國，毛公鼎流到了收藏家葉恭綽手裡。一九三七年，葉恭綽要去香港，沒辦法把毛公鼎一塊帶走，囑咐侄子，也就是外交家、書法家葉公超，一定要好好保護毛公鼎，不要讓日本人奪走。葉公超為了保護毛公鼎，不斷轉移這尊鼎，拚了命保護。日本人曾經為了得到毛公鼎把葉公超抓起來，關在憲兵隊裡四十九天，最後是遠在香港的葉恭綽特別製作了一只假的毛公鼎，上繳日軍，騙過日本人，才順利把葉公超營救出來。

很多文物都發生過類似的故事。有人為了保護文物四處奔走，不惜犧牲財產和性命；也有人為了爭奪寶物，甚至出賣自己的國格和人格。今天靜靜陳列在博物館裡的一件件文物，都是一段段歷史。我們常說「以古為鏡，可知興替」，從這個角度來看，文物與陳列它們的博物館就像一面鏡子，折射著人性的光輝，也暴露出人性的醜惡。功過是非、人情冷暖，也許我們沒有權利評論和指摘，但是在這些文物組成的歷史面前，一切都有公論。

CHAPTER 7

普及的教育設施：日本東京國立博物館

日本人非常重視博物館，不僅博物館數量眾多，參觀人數也非常多。在日本的中小學教育裡，博物館更是一種經常使用的教育設施與場所，非常重視推廣博物館教育。

Tokyo National Museum

現在我們要跨過大洋，前往一衣帶水的鄰邦日本，說一說日本最具代表性的博物館——東京國立博物館。

日本與中國做為東亞地區的兩個重要國家，不管是文化交流還是經濟來往，自古以來往來密切，日本的歷史和文化獲得了全世界的高度重視。那麼，日本的博物館發展現狀又是如何？

日本人非常重視博物館，全日本總共有多少家博物館呢？據統計，二〇一七年的數字是五千六百九十家。考慮到日本一億二千七百萬的人口數量和不到三十八萬平方公里的國土面積，可以想見這數字意味著什麼。相比之下，中國大陸國土面積約為九百六十萬平方公里，人口將近十四億，註冊登記的博物館總數截至二〇一六年只有四千八百七十三間。

歐美國家呢？英國人口六千五百多萬，有二千五百家以上的博物館；美國人口三億多，有八千間左右的博物館；法國人口不到七千萬，有五千多家博物館；義大利人口六千多萬，有三千五百家博物館。《中國文物報》曾經公布相關資料，西方發達國家的人口和博物館之間的比例大概是二十萬比一。

日本的博物館不僅數量多，參觀人數也非常多。據日本文部科學省提供的調查顯示，二〇一四年全年入館參觀人數接近二億八千萬人，即便其中有不少外國遊客，此數字仍然相當可觀。根據中國國家文物局公布的數字，全中國每年博物館的接待人數也不過九億人左右。

此外，日本博物館協會專務理事半田昌之於二〇一七年發表了一篇關於日本博物館發展

日本東京國立博物館

狀況的文章，其中提到了一些數字：日本博物館做為中小學生規定課程的參觀比例達到四十．七%，「時不時」做為上課地點的比例占了五十%。由此可見在日本的中小學生教育中，把博物館當成一種常規的教育設施和場所，非常重視。

東京國立博物館坐落於東京知名景點上野公園，這個總面積只有五十三萬平方公尺的公園裡有好幾座博物館，東京國立博物館、東京國立科學博物館、東京國立西洋美術館、東京都美術館、上野之森美術館。東京國立博物館位於上野公園北端，創建於明治四年（一八七一年），藏品以日本文物為主，同時也有大量的亞洲文物，全館藏品共計約十一萬件，其中「日本國寶」八十七件，「重要文化財」六百三十四件。

你一定會問，什麼樣的東西才稱得上是「日本國寶」呢？

《印可狀》：現存最早的禪宗高僧手跡

很多被日本人視為「國寶」的文物來自中國。比如現在要介紹的第一件東京國立博物館館藏——北宋年間禪宗高僧圓悟克勤的書法《印可狀》。

印可狀是什麼？簡單說就是畢業證書或學位證明。一般來說，在日本，所有事情都有流派，比如劍道、柔道、花道、茶道、圍棋，統統都有流派。想證明某個人在該流派中學有所成，就是頒發印可狀給他，下圍棋達到一定段位，授予圍棋的印可狀；茶道學到某個程度，授予茶道的印可狀，就連做壽司也會頒發印可狀。印可狀通常都是由本流派的宗師頒發，但最早的印可狀是從佛家而來。「印可」兩字本是佛教術語。「印」是決定、不再猶豫的意思，「可」是許可的意思。

佛教中識別什麼是真正的佛法、什麼是假佛法時，有「三法印」的說法，也就是「諸行無常、諸法無我、涅盤寂靜」。佛家「一切法若違三法印，便是佛陀親說，也是不了義」的意思是，如果有人說出一套理論，並聲稱自己說的是佛法，那就要看他的說法是否符合「三法印」的三個標準。符合才是真正的佛法，否則就是歪門邪道。

東京國立博物館的《印可狀》作者是宋代的禪宗高僧圓悟克勤。禪宗是佛家流派裡十分典型的派別。「禪」字最早也是一個印度詞彙，叫「Jana」，傳入中原後被音譯成「禪」。若是意譯，意指「靜慮」。禪宗派宣稱自己是「教外別傳」，講究的是「不立文字，直指人

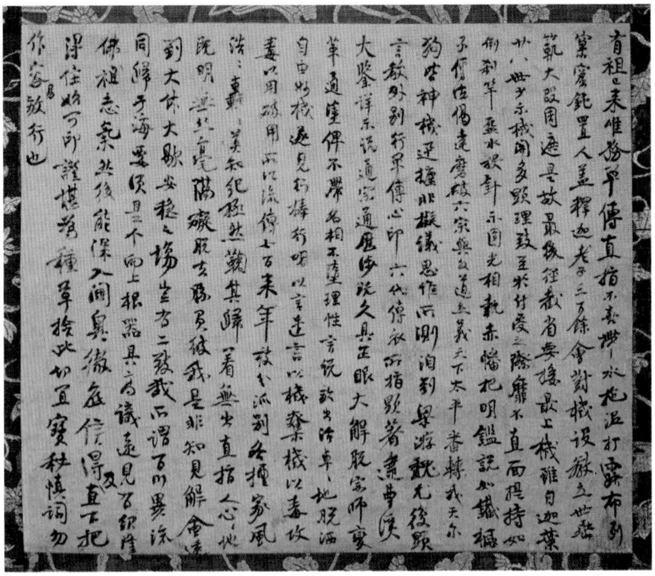

《印可狀》

心，見性成佛」，和一般的佛教門派不太一樣。在「印可」這個問題上，他們在意的是以「心印」來「印可」別人。換句話說，禪宗認為文字之類的內容沒有用，反而會讓人迷失自己的本性，真正的開悟是心靈的開悟。

就像《印可狀》的作者圓悟克勤當初在一位名叫法演的禪師門下學習，但很多年都沒能開悟。有天，法演和一名官員談禪。官員問：「何謂祖師西來意？」（佛法從西方傳來到底是為什麼？）法演答：「頻呼小玉原無事，只要檀郎認得聲。」意指閨閣裡的小姐頻繁地呼喚丫鬟小玉，並不是為了叫丫鬟，而是要讓閨房外面的情郎聽出自己的聲音。一旁的圓悟克勤就此開悟，寫了一首悟道的偈子：「金鴨香銷錦繡幃，笙歌叢裡醉扶歸。少年一段風流事，只許佳人獨自知。」這首詩看似風花雪月，其實蘊藏了深刻的佛理。經書訓教得再多，即便背得滾瓜爛熟也沒用。真正有用的是其中的道理。如果心底明白，佛經看與不看，又有什麼關係？

禪宗門下這類故事很多，禪宗還給這些故事起了專門的名字，叫「公案」。有興趣的朋友可以找來看。公案多半非常有趣，也有助於提升我們的智慧。

東京國立博物館這件《印可狀》是圓悟克勤後來成為別人的老師之後，頒發給弟子的「畢業證書」，這件書法作品也是世界上現存年代最早的禪宗僧人手跡，因此非常珍貴。

這件《印可狀》上寫了什麼？圓悟克勤講述了「禪」如何從印度傳到中國，後來又怎樣分成更多門派而發揚光大，也闡述了禪的精神。由於使用了大量的北宋民間白話，非標準的文言文，有點難懂。比如「只露目前些子。個如擊石火閃電光。若構不得，不用疑著」，意思是佛理有時候只露出一點點，宛如電光火石般，你要是不明白也別懷疑。

這件《印可狀》來到日本的過程也非常有趣。它曾被裝入桐木圓筒中扔進大海，後來在薩摩藩（今日本鹿兒島縣）的海岸被發現，因此又稱為《流圓悟》。這件書法作品一度成為日本戰國時代知名大名*伊達政宗的收藏，並在伊達政宗的授意下截成兩段，我們今天看到的《印可狀》就是它的前半段。十八世紀時，松平藩藩主松平不昧收藏了它，其後代松平直亮則在明治維新之後把它捐給了東京國立博物館。

「天下五劍」之一的童子切安綱

既是日本的國立博物館，一定得介紹一聽名字就知道來自日本本土的文物——刀。

武士刀名氣大。別說在古代，現今全世界都有痴迷日本刀劍的收藏家。武士刀也成了日

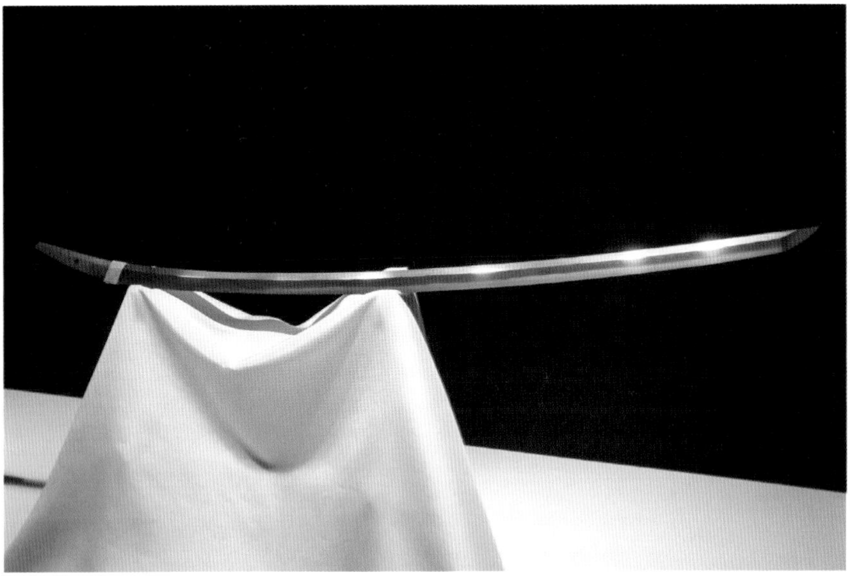

童子切安綱

本文化符號之一，出現在世界各個角落裡。比如名導演昆汀塔倫提諾的電影《追殺比爾》中，烏瑪舒曼穿著一身李小龍式運動服、手持武士刀，就讓人印象深刻。東京國立博物館既是日本最有代表性的博物館，館藏裡如果連幾把拿得出手的武士刀都沒有，顯然說不過去。

此處要介紹一把平安時代著名刀匠安綱製造的名刀——童子切安綱，是日本歷史上的「天下五劍」之一，據說豐臣秀吉、德川家康，還有幕府將軍德川秀忠都用過。

這把武士刀為什麼叫「童子切」呢？相傳平安時代的大將源賴光曾用這把刀斬殺了一種叫做「酒吞童子」的怪物。日本的平安時代相當於五代十國中期到北宋前期，「酒吞童子」則是一種日本的怪物，牠帶著一幫鬼怪，禍害百姓，鬧得很凶。當時的天皇派源賴光帶領幾名豪傑一同征討酒吞童子。源賴光見到酒吞童子後，憑著出色的口才，說得酒吞童子很高

＊大名是日本古時封建制度對領主的稱呼，就是某些土地或莊園的領主，土地較多、較大的就是大名主，簡稱「大名」。

興，又灌了牠好多酒，讓酒吞童子喝得酩酊大醉，源賴光再趁機拔出寶刀，當場將牠斬首。

從這個明顯是虛構的故事中我們可以看出，西元十一世紀前後的日本，巫術、妖物和民間信仰還攪和在一起，很類似歐洲的中世紀，真實的歷史和童話、神話全混成一團。不過，隨著鎌倉幕府的崛起，由貴族統治的平安時代亦隨之謝幕，武士階級慢慢成為日本歷史的主角。這些武士鄙視平安時代貴族的奢靡生活，崇尚以「忠君、節義、廉恥、勇武、堅忍」為核心的思想，形成了後來日本軍國主義的精神支柱——武士道。

這把童子切安綱屬於武士刀裡的「太刀」（たち），刀身長達八十公分。根據日本學者的考證，這把刀很可能不是平安時代鍛造的，因為如今的武士刀形制在日本稱為「鎬造刀」，但製造該形制刀的工藝在平安時代還未出現。

《普賢菩薩像》：平安時代繪畫名作

童子切安綱未必是平安時代的刀，但東京國立博物館收藏的一幅絹本設色《普賢菩薩像》卻是如假包換的平安時代繪畫作品。

這幅畫和中國畫的風格幾乎完全一樣，縱長一百五十九．一公分，橫長七十四．五公分，描繪了《法華經》的場景之一——普賢菩薩端坐在六牙白象的背上，雙手合十，面容慈祥，儀態端莊。仔細觀察還會發現，畫家用了大量的金銀材料來做畫，將金箔切成極細的金

《普賢菩薩像》

絲，再進行黏貼，這叫做「截金」法。用此法製作出來的畫特別精美、華貴。

《檜圖屏風》：狩野永德金碧輝煌的力作

熟悉日本戰國歷史的人都知道戰國時代的知名大名織田信長。此人在世界史上也占有一席之地，只用了短短十幾年，就從尾張國裡的小封建主一躍成為全日本霸主，最後於一五八二年的「本能寺之變」中，突遭部下明智光秀叛變而被殺害。

織田信長修建過一座日本史上非常著名的城堡，也就是安土城。安土城的天守閣有七層之高，裡面的裝飾非常精美，很多裝飾都出自安土桃山時代的名畫師狩野永德之手，精工細畫，美妙絕倫。織田信長死後，壯麗的安土城也毀於戰火，當年城堡裡那些美輪美奐的精美畫作，今天已無緣得見。

好在，東京國立博物館裡還有狩野永德的作品《檜圖屏風》。這幅作品創作於十六世紀後期，正是藝術家創作的巔峰。整幅畫是一棵大柏樹，背景幾乎全由金箔覆蓋，益發突顯虯枝蒼勁的樹姿。金碧輝煌的《檜圖屏風》是十六世紀前後日本安土桃山時代的典型屏風畫作品，既充滿活力又不失華麗，極盡奢華之能事，可謂「東方巴洛克」。

狩野永德也曾經為大阪城、聚樂第、正親町院御所、天瑞寺等名勝設計藻井畫、障壁畫這類大型裝飾畫作。尤其是聚樂第，這座享樂別墅是當時的日本霸主豐臣秀吉傾全國之力，

《檜圖屏風》

不惜血本建造的。一九九二年考古挖掘時，僅僅是貼有金箔的瓦就挖出了六百多塊，可見當年的建築多麼金碧輝煌。可惜的是，無論是安土城或聚樂第，最終都毀於戰火和鬥爭。

有記載說，狩野永德之所以能夠煥發出如此驚人的創作熱情，是因為他希望織田信長、豐臣秀吉這樣的人物能夠結束長期戰亂，帶給百姓安寧和平靜的生活。但他的願望顯然難以實現。事實上，從那時至今，人類從來沒有停止過戰爭和殺戮，狩野永德那些曾經金光燦爛、無比美好的作品，也全部在戰火中灰飛煙滅。如今，我們只能從這幅華麗的《檜圖屏風》緬懷藝術家心中的美好世界。

火焰形陶器：繩文時代的見證

接下來我想介紹東京國立博物館裡幾件代表日本歷史的藏品。第一件是日本繩文時代的陶器「火焰形陶器」，由於日文裡陶器的漢字寫成「土器」，所以也可以叫它「火焰形土器」。

首先解釋一下什麼叫「繩文時代」。其實「繩文時代」的「文」應該寫成花紋的「紋」，之所以如此命名，是因為那個時代出土的陶

火焰形陶器

器上都有用繩子壓印的方式壓出來的各種裝飾花紋，所以被叫作「繩紋時代」。

據說，距今三萬年前的日本列島上已有人在島上生活，但直到距今一萬多年前才進入繩文時代，並於西元前三百年結束繩文時代。西元前三百年大概是中國的春秋戰國時期，當時的日本還處於新石器時代晚期。

在繩文時代，日本列島上的人主要以狩獵和採集為生。進入繩文時代中期，土器，也就是我們說的陶器已經發展得比較成熟，那些用繩子壓出來的裝飾花紋也比較精美。除了日常生活的餐具、炊具，也開始出現了土偶、裝飾品和一些原始的漆器。東京國立博物館二樓展廳可以看到很多繩文時代的「火焰形陶器」，也就是陶器被做成底下像個杯子，上面則呈火焰狀敞口的模樣。

最有意思的是，日清泡麵曾經仿照這種火焰形陶器推出杯麵，目的是讓現代人體驗一下原始人的生活方式，相當有創意。另一方面，目前已出土的這類陶器裡頭雖然經常發現食物殘渣，但別說是泡麵，連一丁點像樣的穀物也沒有，裡面大部

遮光器俑

分的食物都是打魚、狩獵得來，證明日本在那個時代幾乎沒有農業。

大眼睛的遮光器俑

第二個非常值得一提的小文物是日本東北龜岡文化晚期的「遮光器俑」。你可能覺得奇怪，這件看上去就像個土陶娃娃的文物，怎麼會有「遮光器俑」這麼奇怪的名字？

其實呢，「遮光器」是因紐特人用來遮蔽白雪反光的眼鏡。「遮光器俑」的眼睛像是戴了一副巨大的「遮光器」眼鏡，因此得名。至於這副「大眼鏡」，各種說法都有，有人說是外星人，有人說是圖騰崇拜，有人說是故意誇大眼睛的部分，好顯現獵人視力好，不一而足。這個眼睛特別大的土偶如今已成為日本流行文化的一部分，很多動漫作品如《哆啦A夢》，都出現過這種大眼睛。

前面提過，日本繩文時代結束於西元前三百年，此時的日本仍是蠻荒之地，再加上孤懸海外，若沒有外來文明的進入，今天的日本很可能和南太平洋島嶼的原始部落差不多。不過，歷史給了日本一個發展的機遇，西元前三百年到西元二五〇年間，由於秦漢交替，戰亂頻繁，中國大陸上很多人漂洋過海，經由朝鮮半島進入日本，為日本帶來了翻天覆地的變化。日本後來把這段時期稱作「彌生時代」。

彌生時代徹底把日本從原始時代帶到了文明時代。首先，日本人今天敬若神明的稻米就是那時引進的，日本本地至此終於有了農業，也開始使用銅器、鐵器，社會則從原始社會逐步向階級社會過渡。而中國古代文獻裡第一次出現關於日本的記載，也是在此時，《後漢書·東夷傳》和《三國志·魏志·東夷傳》裡都有記載。

到了中國的三國時代，一個叫「邪馬台」的王國開始逐漸統一日本各個部落。這個「邪馬台」，也就是日本今天的「Yamato」，即「大和民族」之意。另外，所謂的「三神器」——「天叢雲劍」（「草薙劍」）、「八尺瓊勾玉」、「八咫鏡」——按照日本人的說法，都是天照大神授予天孫「瓊瓊杵尊」的寶物，並要日本的天皇代代傳承。稍微了解秦漢史的人一眼就能看出來，一把寶劍、一面鏡子、一方玉璽，不就是中國從戰國到漢代最典型的天子標準配備嗎？

後來，約莫中國的隋朝時，日本進入了古墳時代，每一位國王都熱衷於修建自己的墳墓，有點像古埃及法老熱衷於修建金字塔。

在彌生時代和古墳時代，靠著外來文明的注入，日本在很短的時間內進入了階級社會。

可以說，現代日本「用不到一千年的時間，走完了其他國家幾千年甚至上萬年才走完的歷程」。從這個角度看，日本文明是外來文明催熟的結果。

但是，此時的日本仍未追上世界的腳步。日本文明真正崛起應該是西元五九三年到七九四年的飛鳥・奈良時代。日本如今很多非常有特色的文化、習俗和習慣，都是在飛鳥・奈良時代奠定基礎的。比如說，明治維新之前，日本人除了一些海鮮和鳥類，幾乎全民吃素，而這源於飛鳥・奈良時代天武天皇下達的《肉食禁止令》。日本人也在此一時期大量接受儒學和佛教的影響。此外，這段時期的日本先後發生了著名的「聖德太子改革」和「大化革新」。西元六四五年，孝德天皇頒布《改新之詔》，正式展開改革，不僅全面學習唐朝的律令制度，還派遣大量遣唐使前往中國學習，開啟了日本長時間的「唐化時代」。

銅鍍金菩薩立像

在東京國立博物館，我們依然能看到飛鳥・奈良時代留下來的文物。比如編號「N-186」的銅鍍金菩薩立像就被列為「重要文化財」，相當於國家級重要文化遺產。

看到銅鍍金菩薩立像的華人很可能會認為它是中國的文物。這尊菩薩無論是形制還是手法幾乎都和唐代的菩薩造像一樣。菩薩的頭髮紮起、裙子的下擺翻起，和唐代造像一樣帶有明顯的印度特色。而菩薩的面容、姿態、天衣及衣裙的穿法、前端帶有稜角的臺座蓮瓣形狀等，這些特徵都顯示出中國唐朝菩薩造像的影子。

在工藝上，這尊菩薩也和中國的菩薩造像類似，本體和臺座分開鑄造，而且在鑄造本體時是連著菩薩雙腳下凸出來的榫一次鑄成。從頭頂到腹部也看得到殘留下來的鐵芯，和中國很多造像非常相像。

《佐竹本三十六歌仙繪卷殘簡》：和歌的證據

飛鳥・奈良時代結束時，日本把國都從奈良遷到了平安京，也就是今天的京都，隨之進入平安時代。前面介紹寶刀童子切安綱時已有提及，平安時代是貴族統治的時代，再加上此時佛教和神道教發展迅速，漢學的發展相應比較快，使得各種日本本土文學體裁迅速發展起來，比如和歌*就在此時進入了黃金時代。

東京國立博物館裡保存的「重要文化財」《佐竹本三十六歌仙繪卷殘簡》就是平安時代的日本在學習其他文化的基礎上，逐步形成自己獨特文化的證據。

所謂的「三十六歌仙」，指的是三十六位和歌做得最好的歌人。《佐竹本三十六歌仙繪卷殘簡》上面畫了這三十六位歌仙的繪像、和歌代表作，還寫著這些人的簡介。原本的繪卷分為上下兩卷，上卷卷首現已遺失，故稱「殘簡」。三十六歌仙包括了柿本人麻呂、凡河內躬恆、大伴家持等。

《佐竹本三十六歌仙繪卷殘簡》局部——壬生忠岑像

平安時代也是武士階層開始崛起的時代。武士階層主要來自兩個群體，朝廷的武官和地方土豪養的私人保鏢。前一種人比重不大，後一種人則是勢力愈來愈大。他們本就是地主武裝起家，比起天皇，他們顯然更聽主家的，導致軍閥勢力開始崛起。一一八五年，日本正式進入鎌倉幕府時代，從這個時期開始到後來的室町時代、戰國時代、安土桃山時代、江戶時代，日本始終是武士階層掌權；一直要到明治維新「大政奉還」，天皇才重新掌權。

深受中國水墨畫影響的《竹齋讀書圖》

禪宗在鎌倉時代和室町時代被正式引入日本，此時也從中國傳來了新的文化風潮，南宋和元代以水墨畫為代表的繪畫藝術在日本深受歡迎。

中國水墨畫主要靠「焦、濃、重、淡、清」等不同墨色來表現

＊和歌是指從日本古代流傳下來的長歌、短歌、旋頭歌、片歌等不同形式的詩歌總稱。——編者注

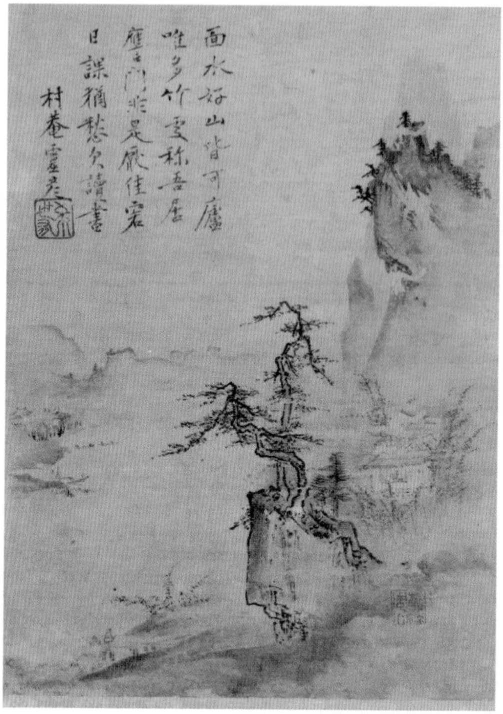

《竹齋讀書圖》

光線明暗、遠近，使得畫作意境幽遠而雅致。日本的禪宗寺院繪畫大量學習和效仿中國的水墨畫，室町時代禪宗僧人畫的水墨畫被稱為「墨蹟」，廣受日本人推崇。

《竹齋讀書圖》就是東京國立博物館珍藏的日本國寶之一。

這幅出自僧人之手的水墨畫作者據說是一位室町時代幕府將軍的御用僧人，名叫「周文」。這幅畫非常有南宋水墨畫的神韻，但整體更加疏闊，僅用寥寥幾筆就勾勒出霧氣籠罩的群山。畫家沒有刻意描繪，而是利用山的形狀來顯現那一片湖水。畫中有一個人在竹林環繞的草庵中讀書，還有兩位前來尋仙訪道的人。場景非常簡單，卻給人一種空間無比遼闊的感覺。

此時的禪宗僧人畫的水墨畫大多是這個格調，留白的地方非常多，講究氣息的流動，追求超凡脫俗的精緻和高雅。在那個時代的禪宗水墨畫裡，

《竹齋讀書圖》非常有代表性。

日本茶道

最後講一下日本的茶道。從室町時代起，日本茶道開始興起。

日本人會把春天的茶葉嫩葉用蒸氣殺青後，做成茶餅保存。邀請客人來喝茶時，日本人對此有個特別的稱呼，叫「一期一會」。大概的意思是人生無常，彼此能一起喝茶的次數也是有限的，見一次面，就少一次。大家既然來參加茶會就要認真點、嚴肅點。

茶道的第一步不是喝茶，而是參觀精緻的茶室。通常在客廳裡喝茶即可，更鄭重的會有專門的茶室。以室町時代和戰國時代的茶室為例，這些茶室往往特別小，多半只有幾尺大，坐落在清幽的園林裡，優雅又安靜，茶室內布置有精緻的書畫和器物。

參觀完茶室後，主人會拿出精美的茶具。這些茶具通常都不起眼，絕對不是清朝那種花哨的官窯。日本人崇尚的是唐、宋時期的陶器、瓷器，樸實無華，以古拙為美。甚至有一段相當長的時間，日本人認為殘破的茶具才好。博物館裡這些古代茶具和茶器、古代將軍大名用過的茶具，不是因為他們用不起瓷器，而是因為日本人認為「物盛而衰」，圓圓滿滿的下一步就是衰落，不如一開始就殘缺的好。

拿出茶具之後，主人會擦拭和賞玩這些茶具，並向客人介紹。客人當然要禮貌地加以讚美。接下來，主人會把茶餅放在火上烘焙、乾燥，用天然的石磨細細碾磨成粉末，並用細炭燒水。等茶被磨成粉，水也燒開了，就可以開始「點茶」，也就是拿著水壺往茶盞裡點水，同時用茶筅不斷旋轉擊打茶湯，讓茶湯泛起泡沫，所謂的「湯花」。

最後，一碗茶湯被推到了客人面前。喝過日本茶的人就知道，茶湯有時是純綠色的，要是喝得不小心，嘴邊都會沾上一圈綠茶沫。喝茶時，要是拿起來像喝啤酒似的一大口灌下去，在日本人看來是最大的失禮。一定要用雙手捧起茶杯，端詳茶色，嗅嗅茶香，在手裡旋轉一會兒、品味一會兒，再慢慢喝下。喝完後最好再誇讚一番。

如今在東京國立博物館裡，收藏著從室町時代一直到近代的各種茶文化藝術品。有足利義政、織田信長、千利休、松平不昧這些大名或茶道家收藏的各種茶具，比如青井戶茶碗、螞蝗絆、油滴天目等。這些茶具有很大一部分是中國製作的，舉例來說，曾經被室町時代的足利義政將軍收藏的螞蝗絆就是南宋龍泉窯的精品。不過足利大將軍收藏它時，螞蝗絆已經破損，將軍派人到中國尋找一樣的茶碗，據說到了中國一問，說是再也燒不出這樣的茶碗了。這也不奇怪，因為龍泉窯從元代開始，胎體就開始厚重起來，風格和南宋時代已經完全不一樣。大將軍沒辦法，只好在碗上打了幾個大鍋子，就像碗上趴著幾隻大蝗蟲似的，這只茶碗因此得名「螞蝗絆」。

Musei Vaticani

CHAPTER 8

教皇的宮廷：梵蒂岡博物館

梵蒂岡是全世界最小的國家，而且整個國家就是一座巨大的博物館。梵蒂岡博物館的前身是教皇的宮廷，如今已經成為博物館群，藏有《創世紀》、《最後的審判》等美輪美奐的藝術傑作。

梵蒂岡博物館內部

有人問我，梵蒂岡是不是世界上最小的國家？答案是肯定的。梵蒂岡的全名是「梵蒂岡城國」，位於義大利首都羅馬西北角的高地上，是全球領土最小、人口最少的國家。這個世界上最小的國家有多大呢？國土面積只有〇．四四平方公里，人口只有八百人左右（二〇一六年）。由於四面都與義大利接壤，是個名副其實的「國中國」。

別看梵蒂岡這麼小，全球各地約有十二億天主教信徒，它可是全世界六分之一人口的信仰中心。這個小國家由於自身的特殊性，可以說，整個國家就是一座巨大的博物館。

而我之所以提及梵蒂岡，目的是要說一說非常特殊的梵蒂岡博物館。

梵蒂岡固然是最小的國家，梵蒂岡博

《拉奥孔與兒子們》

物館卻是非常大的博物館，總面積達五．五萬平方公尺，前身是教皇的宮廷。這座博物館並不是一座「獨棟」博物館，它是個博物館群，也是世界上最早建造的博物館之一。

一五〇六年，有人在聖母瑪利亞主教堂附近的一座葡萄園裡挖出一組非常精美的雕像，就是很有名的《拉奥孔與兒子們》（*Laocoon cum filiis*）。這座雕像表現的是特洛伊祭司拉奥孔與他的兩個兒子被海蛇纏繞而死的情景。當時的教皇買下了這座雕像並公開展出，這就是梵蒂岡博物館比較正式的發展源頭。

只不過，你要是去參觀梵蒂岡博物館，肯定不會把這件《拉奥孔與兒子們》列在必看清單最前面。大部分人去梵蒂岡博物館都是為了參觀著名的西斯汀教堂，那裡有米開朗基羅驚世駭俗的名作《創世紀》和《最後的審判》。除了西斯汀教堂，梵蒂岡博物館其他藏品也是數不勝數。羅馬教廷是世界上最有權勢的宗教組織之一，收藏的文物個個都是全球頂級的文化遺產。

前無古人後無來者的《創世紀》

西斯汀教堂位於梵蒂岡博物館西南角。站在西斯汀教堂前面，你會發現兩個出人意料之處。第一，西斯汀教堂其實是禮拜堂，很小一間，大約四十公尺長，十三．四一公尺寬，二十多公尺高，占地面積不到六百平方公尺；第二，這間小教堂的外表並不起眼，若與聖彼得大教堂相比實在是太過低調。

但正是在這間小禮拜堂裡，可以欣賞到藝術巨匠米開朗基羅堪稱前無古人後無來者的藝術豐碑，無比震撼人心、叫人嘆為觀止的《創世紀》和《最後的審判》。

首先說《創世紀》。一進入西斯汀教堂就可以看到這幅巨大的穹頂畫布滿教堂穹頂。文藝復興時期，在義大利的佛羅倫斯畫派中，透視法已被大量應用，達文西、拉斐爾、米開朗基羅都是箇中高手，米開朗基羅更在《創世紀》裡把那個時代的透視畫法用得淋漓盡致，直接啟發了後來的畫家進一步把透視法發揚光大。後來，這種畫法在法語中被稱為「Trompe-l'œil」，也就是「障眼法」的意思。如今我們經常看到以假亂真的３Ｄ立體畫，比如乍看以

《創世紀》

為大馬路上有一口井，走近看才發現是利用透視原理畫出各種陰影，讓眼睛產生了錯覺。

米開朗基羅在創作《創世紀》時，大量採用了這種障眼法畫法，讓人不經意地抬頭一看，好像真的有天使、聖人、基督在頭頂上飛翔，天堂看起來彷彿只有一步之遙。後來，米開朗基羅的後輩喬凡尼（Giovanni Battista Gaulli）在羅馬耶穌會堂（Church of the Gesù）穹頂畫《耶穌之名的勝利》（*Triumph of the Name of Jesus*）中，把這種畫法推向了極致。只要抬起頭看著教堂的穹頂，天堂之門彷彿真的就在你的眼前打開。

《創世紀》的規模極其宏大，整幅穹頂畫全部取材自《聖經》，從上帝開天闢地一直畫到諾亞方舟。整幅畫作大致可分為「上帝創造世界」、「人間的墮落」、「不應有的犧牲」三部分，一共由「神分光暗」、「創造日、月、草木」、「神分水陸」、「創造亞當」、「創造夏娃」、「原罪：逐出伊甸園」、「諾亞獻祭」、「大洪水」和「諾亞醉酒」九個部分組成，再加上教堂天花板各個邊角的券柱隔斷上都畫著無翼天使、聖人、女巫之類的裝飾，算一算米開朗基羅在整個天花板上一共畫了三百四十三個人物，而且全部是他一個人繪製的。

不僅如此，《最後的審判》同樣由米開朗基羅一人獨力完成。這麼大的規模，為什麼只有他一個人畫呢？

這就不得不提到米開朗基羅的雇主教皇尤里烏斯二世（Lulius PP. II）了。文藝復興時期的幾任教皇裡，尤里烏斯二世算得上是有雄才大略的一位。不光是義大利地區，就算是當時

《大衛像》

《反抗的奴隸》

的歐洲大陸，他也幾乎沒有政治對手。做為羅馬教廷的教皇，尤里烏斯二世的確很厲害。如此強大的人難免有點好大喜功，他把米開朗基羅叫來為自己修建了一座巨大的陵墓，並要米開朗基羅為他設計、雕刻陵墓中所有的雕像。

米開朗基羅原本是一位雕塑家，大作如《摩西像》（*Moses*）、《大衛像》（*David*）、《反抗的奴隸》（*Rebellious Slave*）如今享譽世界。他出於對藝術的嚴格追求，不達到自己想要的成果不甘休，教皇等了好久也沒等到他的規劃，最後好不容易交了，教皇又不滿意。雙方還出現了其他各種矛盾，最終導致教皇把米開朗基羅趕出了教廷。

後來，尤里烏斯二世決定派新任務給米開朗基羅，那就是畫西斯汀教堂的穹頂。有人推測這是教皇故意懲罰米開朗基羅，明知他是雕塑家，非要叫他畫畫；明知他追求完美，特意交代他一件如此費神的工作。

米開朗基羅一開始找了幾個弟子一起畫，但弟子們的功力都不夠，他只好自己畫，在相當於一個半籃球場大小

《創世紀》局部「創造亞當」

的西斯汀教堂穹頂下，仰著頭，一筆一筆完成了這件驚世駭俗的大作，畫了整整四年。

根據米開朗基羅留下來的日記，我們可以看到，這對他來說既是創作的四年，也是抱怨的四年。這四年裡他幾乎沒有停止過咒罵，一直嘆息命運的不公。他認為自己是雕塑家，不是畫家，覺得受到了極大的侮辱。日記裡寫到：「我的臉就是品質最好的地板，因為老是有顏料不斷掉在上面」、「我累得甲狀腺都腫大了」。

就這樣，米開朗基羅日復一日，每天在懸空的鷹架上工作整整十八個小時。他採用的是「撲粉法」，也就是先在紙上畫好人物，再沿著人物輪廓扎出一個個小孔，然後用炭粉在草圖上拍打，再把草圖貼上天花板，在牆上留下輪廓的痕跡，最後再以這些黑點為基礎，一筆一筆地描畫。整個作畫過程本身就是種極大的折磨。

除此之外，米開朗基羅也將當時盛極一時的解剖學成果展示得淋漓盡致。那時候不論是達文西或米開朗基羅，這些大師在人體解剖方面都有非常高的成就。米開朗基羅親自解剖過很多屍體，對於人體各部分的結構掌握得非常嫻熟，《創世紀》和《最後的審判》中人物的肌肉、皮膚、毛髮都畫得極其真實。有人研究後指出「創造亞當」中，上帝背後那團紅雲其實是大腦的形狀，畫家想以這種方式告訴世人，上帝並非像捏麵人一樣塑造了亞當，而是為亞當注入了智慧的靈魂，人才因此真正成為人。相關學者考證之後，認為這種說法確實有道理，因為類似的情況在整幅壁畫裡出現了不止一處。另一個特別明顯的地方在「神分光暗」這一段，仰著頭的上帝露出了喉頭，這個喉頭畫得完全符合解剖學原理，而且上帝的胸部有些豐腴，代表《聖經》裡的「上帝是個靈」，男女不分。

如此細緻的刻畫，米開朗基羅哪裡來這麼大的耐心？

現在重看當時的史料，米開朗基羅和尤里烏斯二世兩個人恐怕都是暴烈脾氣，米開朗基羅故意和教皇作對，明明知道教皇天天派人來催，照樣按部就班，一筆一筆耐心描。漸漸地，連教皇都被米開朗基羅的倔脾氣弄得沒轍，擔心自己能否活著看到壁畫完工。一五一二年，曠世巨作終於完工，尤里烏斯二世一看，馬上震懾於這無與倫比的傑作，僅僅一年後便與世長辭。另一方面，米開朗基羅也成了個駝背的老頭子，完全看不出來是個不到四十歲的人。據說就連看一封信，他都得把信舉在頭頂上，仰著臉看。

六十一歲的米開朗基羅與《最後的審判》

這並不是故事的結尾。二十四年後，米開朗基羅年過六十，教皇保羅三世（Paulus PP. III）命令他再次來到西斯汀教堂，搭起鷹架，完成另一幅傑作《最後的審判》。而這一畫，又是將近六年。

《最後的審判》裡，老畫家不僅從《聖經》汲取靈感，耶穌、聖母、門徒、聖人、信徒，畫裡還出現了古希臘神話裡的陰間擺渡人、牛頭人身的彌諾陶洛斯等。為了宣洩自己的悲憤，米開朗基羅把很多現實人物也畫了進去。比如逼他畫畫的尤里烏斯二世被畫進了地獄，並在畫中遭受蛇怪的撕咬。米開朗基羅自己也在畫裡，他按照自己的形象畫了大聖人聖巴托羅謬。

米開朗基羅沒想到的是，某方面來說，他所痛恨的尤里烏斯二世其實是自己的藝術「知音」，因為尤里烏斯二世是個豪放的君主，相對來說比較開明，支持畫家畫出各種健美的裸體，畢竟據《聖經》記載，神按照自己的樣子塑造了人，所以人體哪有什麼可羞恥的呢？這讓米開朗基羅肆無忌憚大畫裸體，那符合黃金分割比例的人體、那坦誠的美，無疑把神性宣揚得更確實。可是尤里烏斯二世死後，他的繼任者就沒那麼開明了。米開朗基羅過世後，一位叫切薩納的司禮官在教皇保羅四世（Paulus PP. IV）面前搬弄是非：「您看，這哪是教堂，別人都說這裡是個妓院，不然就是間澡堂！」教皇一聽，下令一位叫伏爾泰亨（Daniele

《最後的審判》

da Volterra）的畫家在人物下體都畫上布條遮住。保羅四世因此獲得「內褲製造者」的外號。

這些恢宏壯麗的傑作讓我們深切感受到一生剛直不阿的大藝術家米開朗基羅如何耗盡自己一生，完成了前無古人的奇蹟。

除了《創世紀》和《最後的審判》，西斯汀教堂裡還有賓杜里喬（Pinturicchio）、佩魯吉諾（Pietro Perugino）、波提且利、羅賽利（Cosimo Rosselli）、西諾萊利（Luca Signorelli）幾位大畫家創作的祭壇壁畫，他們分別畫了耶穌和先知摩西的一生。

西斯汀禮拜堂裡還擺放過另一位文藝復興時期藝術巨匠拉斐爾的巔峰之作《西斯汀聖母》（*Sistine Madonna*），一幅在西方人眼中足以和《蒙娜麗莎》爭輝的人物肖像畫。不過這幅畫現在不在西斯汀教堂，收藏在德國德勒斯登博物館。

參觀西斯汀教堂時，動線會沿著長長的畫廊一路走過去，隊伍往往走得非常慢，因為所有人都想停下來，看一看沿途擺放的各種珍貴藝術品，所有人都在這座精緻的藝術長廊裡流連忘返。

拉斐爾與《雅典學院》

梵蒂岡博物館的另一個重要部分，聖彼得大教堂的梵蒂岡教皇宮裡，還有一幅僅次於《創世紀》、《最後的審判》的知名壁畫——《雅典學院》。

《雅典學院》

《雅典學院》堪稱「史上最威大咖合影」，畫面正中央是兩位偉大的學者柏拉圖與亞里斯多德，只不過畫中的柏拉圖形象是以達文西為原型，亞里斯多德的形象是以米開朗基羅為模特兒。畫的左上方那位正在沉思的老人是柏拉圖的老師，大哲學家蘇格拉底；他旁邊的軍人是古希臘政治家阿爾西比亞德斯；坐在地上寫寫畫畫的是大數學家畢達哥拉斯；靠柱子站著的是文法大師伊比鳩魯；手執圓規在一塊黑板上演算給學生看的是幾何學家歐幾里得；頭纏白巾的學者是伊斯蘭教學者阿維洛依……總之，全是西方文明史上一等一的重要大人物。

拉斐爾為梵蒂岡教皇宮畫了四組壁畫，分別畫在四間大廳裡。第一間大廳畫了《神學》、《詩學》、《哲學》和《法學》四幅壁畫，《雅典學院》就是《哲學》這一幅。拉斐爾一口氣畫了五十多位歷代學者，分別代表古代七種自由藝術：文法、修辭、邏輯、數學、幾何、音樂、天文，入畫的都是他認為對

《雅典學院》局部

人類發展智慧、追求真理有傑出貢獻的人物。這些人並不一定是同時代的人，很多人彼此之間沒碰過面，藝術家卻把他們畫在一起，目的是為了回憶西方歷史上著名的「黃金時代」，以表達「文藝復興」希望恢復西方古代的自然科學文明，拒絕黑暗愚昧迷信的企圖。

這幅畫的背景是古希臘哲學家柏拉圖建立的雅典學院。這座學院在歷史上真實存在。柏拉圖年輕時，目睹老師蘇格拉底為了追求真理殉道而死，對古希臘的奴隸式民主制十分失望，於是出走希臘，在歐洲各地遊歷了十二年。四十歲時，柏拉圖終於回到希臘，在雅典城外西北角一個叫「阿卡德摩斯」的地方創辦了自己的學院，性質有點類似孔夫子開的私塾。「高等學府」的英文「Academy」就是從這裡而來。

《雅典學院》這幅畫裡，這座高等學府被畫得金碧輝煌。其實古代的雅典學院長什麼樣子，到了拉斐爾這個時代早就無從知曉，畫家參考了聖彼得大教堂為原型。畫面左右兩邊分別矗立著智慧女神雅典娜和音樂之神兼太陽神阿波羅的雕像。畫面中央是一道道中心透視的拱門，一眼看不到底，柏拉圖與亞里斯多德一

《雅典學院》局部

邊進行著激烈的爭論，一邊朝向觀者走來。只見亞里斯多德伸出右手，手掌向下，表明其學術觀點：研究現實世界。柏拉圖則是右手的手指向上指，表明其觀點：世界上的萬事萬物都是神靈的啟示。其他人物則分布在學院各處，宛若眾星捧月。大家既爭論激烈，又氣氛和諧，呈現「百家爭鳴」之態。

由於畫中人物較多，且個個有來頭，「找人」也成了欣賞這幅畫的樂趣之一。

比如在亞里斯多德和柏拉圖腳下的臺階上坐著一個孤零零的禿頭老人，他是犬儒學派的代表人物第歐根尼。犬儒學派否定社會、否定文明，提倡回歸自然，清心寡欲，要求人清靜無為，獨善其身，與道家類似。據說第歐根尼沒有家，平常住在一個木桶裡，所有財產就是這個木桶、一件斗篷、一根棍子和一個麵包袋。亞歷山大大帝因為第歐根尼的名氣登門拜訪，和藹地噓寒問暖，問他需要什麼。第歐根尼說：「我需要什麼？我需要你去旁邊待著，你把我的陽光都擋住了。」沒想到亞歷山大大帝不但不生氣，還說：「如果我不是亞歷山大，我希望自己是第歐根尼。」

《雅典學院》也畫了亞歷山大大帝。站在亞里斯多德和柏拉圖旁邊，身穿白衣，雙手交叉在胸前，一臉不屑的年輕人就是他。亞歷山大透過遠征把古希臘文明傳播到很遠的地方，對古希臘文明的傳播做出了巨大貢獻，所以畫中也有他的一席之地。

拉斐爾在畫面右側畫了手托天體儀的天文學家托勒密，還畫了義大利畫家索多瑪。托勒密和索多瑪中間則站了一個人，臉只露出一點點，頭上戴頂小帽子，這是畫家本人——在這眾星雲集的大場面，拉斐爾也想露一下臉。而畫面的左側，赫拉克利特與正在回頭的巴門尼德之間，有位非常美麗又有氣質的白衫美女，她是古希臘女數學家希帕提婭。希帕提婭發明了天體觀測儀、比重計，卻因為堅持真理，遭到一夥無知暴民的攻擊而死。希帕提婭的原型是拉斐爾的夫人瑪格麗特。也就是說，畫家和畫家之妻都在這幅大作裡。

更有意思的是，拉斐爾把自己的老師建築師布拉曼特（Donato Bramante）也畫了進來，而前面說過，畫裡的亞里斯多德原型來自真實世界的米開朗基羅。這就有故事可說了。

原來，米開朗基羅和布拉曼特是一輩子的死敵。米開朗基羅畫《創世紀》時，每天除了罵教皇就是罵布拉曼特，因為他覺得是布拉曼特在教皇面前挑撥是非，自己才被罰做這苦役。在米開朗基羅之前，包括聖彼得大教堂的修復在內，教皇都是交給布拉曼特。沒想到他計算錯誤，把支撐教堂圓頂的立柱厚度搞錯了，立柱不斷加厚，預算也不斷增加。教皇沒辦法，只好把米開朗基羅叫來，一方面叫他為自己修建陵墓，一方面叫他接手聖彼得教堂圓頂。據說布拉曼特就此懷恨在心，老是在教皇面前批評米開朗基羅，最後惹得教皇不開心，

《聖禮辯論》

用西斯汀教堂穹頂畫這「苦工」折磨米開朗基羅。不過這都是米開朗基羅的主觀猜測，並沒有直接證據。

只不過這兩人誰也沒想到，拉斐爾會把他們當成文藝復興的明星入畫，相當耐人尋味。

不管米開朗基羅多恨布拉曼特，拉斐爾還是很尊敬老師。在梵蒂岡宮的簽字大廳裡，拉斐爾畫了一幅更厲害《聖禮辯論》（*La disputa del sacramento*），再一次把布拉曼特畫了進去。這幅畫裡，拉斐爾不只畫了凡間諸多神級人物——詩人但丁、奧古斯丁，甚至乾脆讓他們和耶穌、聖母、天使在一起，組成了一次天、地、人、神的其樂融融大聚會。《聖禮辯論》表現的主題和《雅典學院》相同，亦即「科學與神性不衝突，羅馬教會非常開明」。非常幸運的布拉曼特不但和一群跨越時空的「諸子百家」爭鳴了一回，還和上帝直接開會，而這都要歸功拉斐爾。

拉斐爾和達文西、米開朗基羅齊名，同為文藝復興「美術三傑」。與米開朗基羅憤世嫉俗的一生不同，也和達文西神神道道的一生不同，拉斐爾的一生是少年得志，是才華橫溢，是風流瀟灑。他畫《雅典學院》時年僅二十六歲，春風得意，完全不同於米開朗基羅的苦悶。

拉斐爾十一歲時，他的畫家父親去世，因此拜入當時的大畫家佩魯吉諾門下。佩魯吉諾是那個時代最賺錢的畫家之一，在佛羅倫斯和佩魯賈都有作坊。十幾歲的小男孩拉斐爾在佩魯吉諾門下沒學幾年，畫出來的作品，任誰看了都說是佩魯吉諾本人畫的，可謂天才少年。到了十九歲，佩魯吉諾已經無法再教拉斐爾了，他開始自學，臨摹前輩達文西的各種畫作，就這樣實力愈來愈強，成為文藝復興時期的「畫聖」。

據說拉斐爾成名後的吸金力驚人。有回光是一幅肖像畫就換得三千金幣，但錢一到手馬上購置豪宅，花得一乾二淨。此外，和米開朗基羅一樣，拉斐爾對教皇等教廷的態度同樣微妙，明明領人家的錢，卻特別厭惡他們，總是在畫裡捉弄他們。米開朗基羅把尤里烏斯二世直接畫進了地獄，拉斐爾筆下的尤里烏斯二世則被徹底畫成一個暴君。他還把另一位教皇利奧十世（Leo PP. X）的五官刻意畫得擠在一塊，像個包子似的，讓所有看到這幅畫的人都說利奧十世是個小心眼。

拉斐爾一生十分多情，迷戀女色，到處都有情婦，再加上揮金如土，導致身體不太好，只活到三十七歲。他出生那天正是耶穌受難日，死的那天也是耶穌受難日。因此從那時起就有人炒作，說是上帝把拉斐爾召喚了回去。

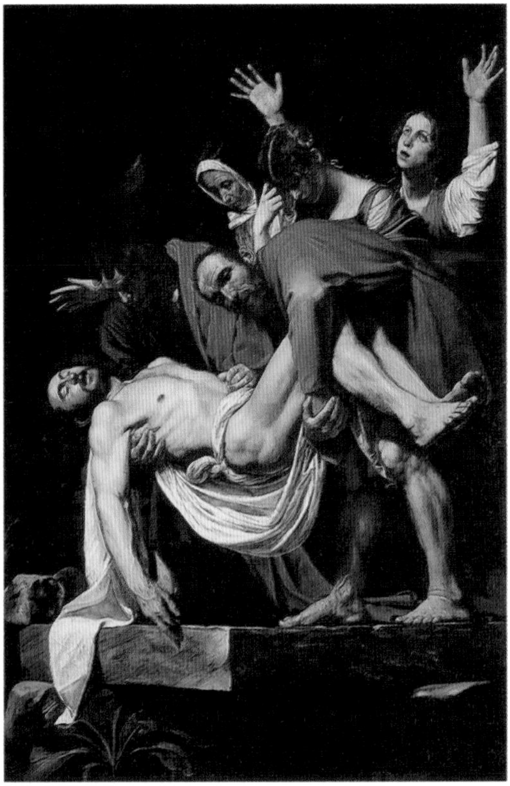

《基督下葬》

畫如其人的卡拉瓦喬

拉斐爾的一生或許荒唐，但還有比他更瘋狂的人。

梵蒂岡博物館的繪畫館珍藏了一幅卡拉瓦喬的祭壇宗教畫《基督下葬》（*The Entombment of Christ*），這是三十歲的卡拉瓦喬畫的。與拉斐爾、米開朗基羅和更早的達文西相比，卡拉瓦喬畫中的明暗對比更加強烈。卡拉瓦喬畫作的背景空間往往是陰暗的，人物形象完全暴露在光照裡，非常突出。這種手法在卡拉瓦喬的時代被稱作「黑暗法」，或叫「酒窖光線繪畫法」。

至於畫家的一生嘛，只能說和卡拉瓦喬一比，拉斐爾簡直就是個模範生。

卡拉瓦喬的一生是衝動又任性的，酗酒、打架、襲警，什麼都幹過。他三天兩頭

《聖母之死》

出入警局，據說留存至今的犯罪紀錄密密麻麻寫了整整一大張紙。最神奇的是，即便卡拉瓦喬在警局和酒吧待的時間比在畫室還長，仍然是當時羅馬城裡最有名的大畫家。

這種彪悍的人生直接展現在卡拉瓦喬的畫風中。他的畫裡，暴力傾向是家常便飯，可愛的小天使長著一雙禿鷲的大黑翅膀，抱著孩子的聖母瑪利亞臉色蒼白得像鬼。完全不走尋常路。

「基督下葬」其實是宗教畫裡很普遍的主題，拉斐爾畫過，提香也畫過。就場面和氣氛而言，拉斐爾的版本高貴而悲憤，有一點點陰森；提香的版本神聖而淒涼，畫中人物彷彿哀嘆著人類正在對上帝犯罪，總之都很有寓意。再看卡拉瓦喬的《基督下葬》，不管是抱著耶穌遺體的人，周圍的婦女和年輕人，甚至是耶穌本人，都被畫成了一群典

《聖馬太與天使》

型的義大利農民。

無獨有偶，後來創作《聖母之死》（*Death of the Virgin*）時，聖母瑪利亞也被卡拉瓦喬畫成了一個老村姑；《聖馬太與天使》（*The Inspiration of St. Matthew*）裡，聖徒馬太也被畫成了一個貧苦的人。

卡拉瓦喬為什麼如此執著，非得把這些聖人畫成鄉巴佬呢？這反映了畫家胸中的一股怨氣。在卡拉瓦喬看來，當時的社會風氣認為農民和城市裡的窮人很愚蠢、很卑賤，是一種對農民和窮人的侮辱。卡拉瓦喬窮過，早年剛到羅馬時就和乞丐差不多，深深體會到社會的不公。

卡拉瓦喬的早期畫作中，很多表現的都是城市最下層的各色人物，比如街頭騙子、妓女、吉普賽女郎。在他看來，這些人也有他們的痛苦和生活。由於卡拉瓦喬老做這種在世俗眼裡出格的事，比如找妓女當模特兒畫聖母，他的畫一次又一次被客戶拒收。但他不在乎，依舊我行我素。後來卡拉瓦喬愈來愈放肆，甚至殺了一個人，隨後到處逃亡，最後被一夥身分不明的人襲擊，受了重傷，又染上熱病，很快便去世了。

限於文章篇幅，梵蒂岡博物館就先介紹到這裡。還有很多無法說完的珍貴文物和美輪美奐的傑作靜靜地陳列在那裡，等待大家領略它們的美和背後那些驚心動魄的精彩故事。

CHAPTER 9

藝術的覺醒：烏菲茲美術館

做為文藝復興的發源地，佛羅倫斯是個令人嚮往的夢幻之地。如果佛羅倫斯是個美麗的夢，那麼烏菲茲美術館便是這美夢中最重要的片段，也是文藝復興運動的核心。

Galleria degli Uffizi

離開梵蒂岡博物館，向北驅車約二百七十公里，我們將抵達佛羅倫斯，那裡有另一間著名的藝術博物館——烏菲茲美術館。

佛羅倫斯是很多人特別嚮往的城市。從某種意義上來講，佛羅倫斯就是文藝復興運動的發祥地。大詩人徐志摩在詩篇〈翡冷翠的一夜〉裡把「佛羅倫斯」譯成「翡冷翠」，實在傳神，一聽就叫人心馳神往。詩篇裡的詩句：「只當是一個夢，一個幻想，只當是前天我們見的殘紅。」意境更是極美。

如果說佛羅倫斯是一個美麗的夢，烏菲茲美術館就是這美夢中重要的片段之一；如果說佛羅倫斯是文藝復興的發祥地，烏菲茲美術館就是文藝復興運動的核心。

文藝復興是十四到十七世紀發源於義大利佛羅倫斯等城市的「歐洲新文化運動」。前面介紹過的達文西、米開朗基羅、拉斐爾，還有波提且利、喬久內（Giorgio o Zorzi da Castelfranco）、提香、揚・范・艾克（Jan van Eyck）、布勒哲爾、杜勒（Albrecht Dürer）、霍爾拜因（Hans Holbein der Jüngere）等震古鑠今的名人，都是文藝復興時期的大將。文藝復興運動標誌著西方從蒙昧的中世紀宗教神學束縛中全面解放，人性開始覺醒。人們放棄求神問卜，積極主動地研究現實問題，人文主義大行其道，西方文明開始大步發展。

這場聲勢浩大的文藝復興運動中，如果不是一個家族的出現，即便文藝復興還是會持續發展，卻不會是今天我們了解的這種模式，其速度、規模和影響力可能也不會這麼大。這個舉足輕重的家族就是當時佛羅倫斯的豪門望族——梅迪奇家族（Medici）。

烏菲茲美術館

二〇一六年，英國和義大利合拍了一部影集《麥地奇家族：佛羅倫斯大師》（*Medici: Masters of Florence*），講述的就是這個家族的歷史。影集畢竟是娛樂業，與真正的歷史還是有很大的差距，真實的梅迪奇家族到底是什麼樣子呢？簡言之就是貨真價實、如假包換的富可敵國，甚至說「富可敵聯合國」都不為過。這個家族出過三任教皇、兩任法國皇后，權勢熏天，完全可以把歐洲各國君主玩弄於股掌之間。

梅迪奇家族在文藝復興時期拿出大把大把的錢養活了一批藝術家，達文西、杜勒、波提且利……那時叫得出名字的藝術家，幾乎人人都為他們畫過畫。梅迪奇家族也拿錢資助教皇修建教堂。講白了，整個佛羅倫斯基本上就是梅迪奇家族的私人財產。要不是有梅迪奇家族的金錢支持，文藝復興運動也許不太容易在短時間內形成爆發式的發展，有的西方學者甚至稱梅迪奇家族是「文藝復興之父」。

烏菲茲美術館原本是梅迪奇家族的辦公室。「烏菲茲」在義大利語裡就是「辦公室」的意思。換句話說，與其叫「烏菲茲美術館」，還不如直接叫「梅迪奇大樓」。

十七世紀，當時掌握家族實權的科西莫三世·德·梅迪奇（Cosimo III de' Medici）不服梵蒂岡的教皇，著力把烏菲茲美術館打造成足以和梵蒂岡媲美的藝術聖殿。到了十八世紀，烏菲茲美術館已成為僅次於梵蒂岡美景宮的古代藝術博物館。那時歐洲當紅的藝術家、詩人、學者、出門旅行的貴族都會到烏菲茲美術館朝聖，回去後往往大肆吹噓。這樣反反覆覆，烏菲茲美術館聲名大噪。

這座藝術聖殿位於佛羅倫斯市政廣場和亞諾河之間，離聖母百花大教堂不遠。美術館分為三層，有四十六間展室和三條走廊，收藏的名畫、雕塑、陶瓷等藏品約十萬件，是歐洲重要的美術館之一。

三博士來朝：一次看盡名家之作

烏菲茲美術館裡到底有什麼藝術瑰寶呢？

首先要介紹的是一「組」畫——「三博士來朝」（Adoration of the Magi）。為什麼叫一

達文西的《三博士來朝》

「組」呢？因為以「三博士來朝」為主題的畫作在烏菲茲美術館裡有好幾件，有達文西畫的、波提且利畫的、菲利皮諾．利皮（Filippino Lippi）畫的、杜勒畫的、基蘭達奧（Domenico Ghirlandaio）畫的……也就是說，「三博士來朝」這主題太著名，那時的畫家基本上人人畫過。而烏菲茲美術館裡有這麼多件，也算是一大奇觀。

達文西的《三博士來朝》其實沒畫完，但他留下的這幅半畫作、半手稿中，可以見到達文西進入創作成熟期之後那種爐火純青的手法。而且這一幅《三博士來朝》和達文西其他作品一樣，有些神祕之處。畫中運用簡單的幾何原理，讓抱著聖嬰的聖母和三位博士構成一個穩定的三角關係，四周圍觀的人則被畫成漩渦狀，使得畫面中心的聖母明明沒有畫得特別大，卻非常顯眼。

好萊塢編劇斯坦．李（Stan Lee）在每部漫威的超級英雄電影裡都要露一臉，客串一個小角色；導演希區考克也會在每部電影裡讓自己出鏡，早在文藝復興時期，這樣的彩蛋就比比皆是了。

比如說，《三博士來朝》這幅畫裡，達文西就把自己畫了進去——畫面最右邊那個高大的小夥子就是。二十九歲的達文西特別帥，畫裡所有人的眼睛都盯著聖嬰，唯獨達文西的臉朝著反方向，一副不屑一顧的樣子。據說這是達文西慣用的伎倆，凡是出現這類自畫像，就相當於整幅畫的情節裡突然來了個「出戲」的，是畫家對看畫的人說：「看見沒？都是假的，這不是真正的《聖經》，這些人在玩木頭人，演《聖經故事》舞臺劇呢！」

波提且利的版本也玩了和達文西一樣的把戲。表面上看，殘垣斷壁旁，聖潔的聖母慈祥地抱著剛出生的聖嬰耶穌，博士們虔誠地獻上禮物。如此自然的場景暗藏玄機：畫中碰觸聖嬰小腳的老頭是科西莫三世·德·梅迪奇；跪著的白袍人是老科西莫的孫子朱利亞諾·德·梅迪奇；對聖嬰表現出崇拜之情的是科西莫的次子喬瓦尼·德·梅迪奇，他下方的人是科西莫的長子皮耶羅一世·德·梅迪奇。整幅畫最右邊，和達文西的畫一模一樣，波提且利也畫了一個對整件事漠不關心的人，一個穿著黃色長袍，臉朝外的「出戲」青年，也就是畫家本人。

事實上，波提且利的《三博士來朝》不止畫了一幅，一共畫了三幅。

波提且利為什麼要畫這麼多《三博士來朝》呢？比較可靠的解釋是，當年他畫完《三博士來朝》後一舉成名，大家都想要一幅。波提且利沒辦法，只好連畫三幅，而且每一幅都找得到那看向畫外意味深長的一瞥，彷彿在說：「這有什麼好畫的，你們這些人非要我畫這

波提且利的《三博士來朝》

個！」當然，這只是後人的猜測。

除了達文西和波提且利的版本，烏菲茲美術館還收藏了一大堆各式各樣的《三博士來朝》。細心的人會發現，但凡這個題材的畫作，畫中背景幾乎都是殘垣斷壁，難道耶穌當初誕生在一間破房子裡嗎？

其實《聖經》描述此一情景時，只說瑪利亞和約瑟兩人到了伯利恆以後，只能住在馬棚裡，聖母瑪利亞在馬槽裡生下了耶穌。至於馬棚長什麼樣子，並沒有詳細說明。所有的「三博士來朝」都畫成殘垣斷壁有其他寓意。在猶太歷史中，最光榮的國王就是大衛王。大衛王時期建立了輝煌的聖殿，後來聖殿被摧毀了，所以在基督教世界裡流行這樣一種說法，耶穌的出生象徵著上帝的選民迎回了真正的王，象徵著聖殿即將重新興築。也因此，「三博士來朝」的背景幾乎全是殘垣斷壁，但有的畫家會畫上建築工人在整修房子，象徵著正在重新修建聖殿，達文西的版本就是這樣。

《維納斯的誕生》：當仁不讓的烏菲茲鎮館之寶

烏菲茲美術館裡，波提且利最有名的作品不是《三博士來朝》，而是舉世聞名的畫作《維納斯的誕生》。身為梅迪奇家族的辦公大樓，烏菲茲美術館裡雲集了各種文藝復興名作，即便在這麼多大作之中，《維納斯的誕生》仍然是最亮眼的明星，是烏菲茲美術館中當仁不讓的鎮館之寶。

這幅畫高一百七十二公分，寬二百八十三公分，是一幅很大的蛋彩畫。所謂的蛋彩畫，就是在畫畫時，用雞蛋的蛋黃和蛋清來調和顏料。畫家除了繪畫技巧，往往還掌握著獨門祕方，因為不同配方呈現出來的顏色效果不一樣。蛋彩畫的優點是色彩特別鮮明，蛋清乾了之後，顏色會呈現出一種純淨的透明感，而且能夠保持得比較長久。然而，用這種顏料畫畫其實很難。畫家得先畫顏色鮮亮的部分，然後再由淺入深、由明到暗。下筆時必須用小筆點染，與其說是畫畫，還不如說是繡花，做法十分嚴格。蛋彩畫在文藝復興時期很流行，但出於種種原因，十六世紀以後逐漸被油畫取代。波提且利則是蛋彩畫大師之一，把蛋彩畫畫得登峰造極，另一幅同樣收藏在烏菲茲美術館的傳世名作《春》也是蛋彩畫。

《維納斯的誕生》打破了當時很多繪畫界的禁忌。第一，原本只有聖母瑪利亞才能畫在

《維納斯的誕生》

拱形之下，其他女性都不行，但在這幅畫裡，維納斯享受了這種待遇；第二，維納斯本身是一位異教神祇，波提且利卻讓她當主角；第三，當時的藝術題材大部分都以男性為主，波提且利卻畫了一個標準美女。

畫中的維納斯肌膚潔白，金髮飄飄，體態嬌弱，美得令人傾倒。據說波提且利是根據宮廷詩人波利齊阿諾（Angelo Poliziano）的長詩來作畫的。該詩篇中，愛與美之神維納斯誕生在愛琴海的珍珠貝殼裡，風神把她吹到了岸邊，春神馬上跑來迎接她。維納斯的誕生，標誌著世界上從此有了「美」的概念。

可是仔細一看，會發現維納斯的神情有點惆悵。波提且利可能是想透過這種惆悵的神情，表達「美」這種東西是懷著惆悵的情緒來到這世界的，而世界充滿了苦難，本來不配得到「美」，「美」是神給予人間的恩賜，所以我們每個人都該珍惜眼前之美，珍惜一切美的東西。他特別把維納斯畫成一個生下來就十全十美的少女，說明「美」自從來到世界以後就是不生不滅的，「美」本身既沒有童年，也沒有衰老，永保青春與活力。

但是，這幅畫好像愈看愈怪，女神的左肩不自然地塌了下去，脖子太長，左手臂也是。波提且利這樣處理是為了整個畫面的協調性。事實上，「維納斯的誕生」這主題不只一位畫家畫過，很多幅都非常出色，卻沒有波提且利這一幅名氣大，其中一個很重要的原因就在於波提且利的大膽構圖。他故意改變女神身體各部分的比例，讓整個畫面仙氣十足。

在維納斯右邊，西風之神澤弗洛斯正對著女神吹氣，和他緊緊相擁在一起的是他的妻子花神芙羅拉。這兩位神的身材比例同樣是失調的，男神的上半身過大，下半身顯得特別小，花神的頭部和身體分得太開，就像頭被砍下來了一樣。畫家正是利用這種比例失調的手法，使畫面產生動感，成功捕捉動作的那一瞬間。這種手法流傳到後來，直接啟發了超現實主義藝術流派的誕生，野獸派的馬蒂斯把這種比例失調發揮到了極致。至於那些比例嚴格遵照現實的「維納斯的誕生」，雖然出色，和波提且利的大作一比，自然黯然失色。

《基督受洗》：師生聯手佳作

到目前為止已經提到好多次達文西，無論是從美術史的角度，還是追溯文藝復興的歷史，乃至追尋整個人類文明史，達文西都是繞不過去的。

那麼，達文西的老師是誰呢？烏菲茲美術館裡有一幅達文西和他老師兩人合作的作品《基督受洗》（*The Baptism of Christ*），畫的是約翰為耶穌施洗的故事。

據《聖經》記載，在羅馬大帝提庇留統治的十五年間，約翰在約旦河一帶向貧民傳道，鼓舞大家接受洗禮，信仰上帝耶和華。此時猶太人已經連續四百多年沒有出現過先知了。約翰到處宣傳，說基督就要來臨，大家要懺悔，接受洗禮，歸向上帝。洗禮是為了免去自己身上的罪孽，死後可以升入天堂。

有一天，耶穌來了，他想接受約翰的洗禮。約翰一眼就認出他是上帝的兒子，不敢為耶穌施洗。耶穌一再勸說，約翰才為耶穌施洗。《聖經》說，約翰舀起約旦河的聖水為耶穌施洗。耶穌從河裡起身禱告時，天空豁然開朗，一位鴿子模樣的聖靈顯現在被開啟的天空中，又落在耶穌肩膀上。從此以後，約翰追隨耶穌，跟隨耶穌佈道，得名「施洗者約翰」。

基督受洗的故事是畫家們最喜愛的題材之一，幾乎所有基督教教堂都有相關作品，其中又以烏菲茲美術館裡收藏的這一幅最有名。這幅畫出自達文西授業恩師委羅基奧（Andrea del Verrocchio）之手，但達文西也參與了創作，所以算是師徒兩人的聯手之作。

《基督受洗》

達文西的名字如雷貫耳，但很多人可能不是很了解委羅基奧。事實上，委羅基奧絕對稱得上是一位好老師。他年輕時是金匠學徒，快三十歲才畫了人生第一幅畫作。別看他名氣不大，他的學生可是個個有名，除了達文西，波提且利也是他的學生，另一個學生佩魯吉諾則是拉斐爾的老師。換句話說，委羅基奧是拉斐爾的師爺。此外，據說米開朗基羅雖然沒有直接向委羅基奧學畫，卻深受其影響。如此算過一輪，委羅基奧簡直就是文藝復興時期佛羅倫斯畫派的祖師爺。

達文西和老師合作這幅《基督受洗》純屬偶然。當時，委羅基奧已經畫完了主要人物耶穌和約翰，剩下背景還沒畫，教堂的人一直催促，要他在復活節之前一定要交件，而那時離復活節只剩下一個星期。委羅基奧相當固執，決定先帶達文西去外面上寫生課，回來再畫。被催得這麼急還不忘幫學生上課，可見委羅基奧非常看重達文西。

寫生時天降暴雨，委羅基奧感冒了，發起高燒。時間緊任務重，達文西於是接過老師未完成的工作，幫《基督受洗》畫背景，僅僅用了一天就完成。哪知達文西隔天一覺醒來揭開畫布一看，嚇出一身冷汗——除了耶穌和約翰，畫中原本還有兩個天使，其中一個天使居然被人用刀子刮掉了！

原來，委羅基奧當初畫天使時，用了達文西當模特兒，沒想到引起其他學生的嫉妒。再加上因為老師病重，客戶又催得緊，達文西居然代替老師畫畫，讓同學們更加嫉妒，趁達文西睡覺時，刮掉了這個以達文西為模樣的天使。

誰也沒想到，達文西此時不慌不忙地按照老師留下的原稿，對著鏡子開始畫起了自己，沒多久就完成了與老師原來畫的幾乎一樣的天使。委羅基奧看到後激動萬分，據說他熱烈擁抱達文西，興奮地說：「這幅畫太完美了！我以後只能做雕塑了！」從此以後再也沒動過畫筆，全心全意當起了雕塑家。

在委羅基奧看來，弟子達文西已經遠遠超越了自己。他為了弟子的前途，坦然放棄自己的藝術生涯；拉斐爾的老師佩魯吉諾同樣在弟子成名之後，主動幫他嶄露頭角。可以說，如果沒有這些品德高尚的老師，拉斐爾、達文西這樣的天才，恐怕也不會在那個時代那樣集中地出現。

《金翅雀聖母》：「聖母畫家」拉斐爾迷必看

介紹梵蒂岡博物館時有提到，西斯汀教堂裡曾有一幅拉斐爾名作《西斯汀聖母》。拉斐爾雖然只活了三十七歲，一生卻畫了三百多幅作品，是一位非常多產的畫家，在這之中，又以「聖母」題材最是手到擒來，前後總共畫了大約一百幅聖母像。換言之，拉斐爾一輩子畫了那麼多畫，有將近三分之一都是聖母像。《坐著的聖母與睡著的聖子》、《閱讀的聖母與聖子》、《聖母子與聖徒》、《聖母加冕》、《聖母領報》、《聖母的婚禮》、《椅中聖母》……是一位名副其實的「聖母畫家」。

拉斐爾為什麼這麼執著於畫聖母像？這個話題早在文藝復興時期就有人提出，而且各種版本說法不一。

第一種說法認為拉斐爾之所以執著於畫聖母像，是因為他母親去世得早，他為了紀念母親。這種說法有一定的道理，拉斐爾的母親瑪姬亞在他八歲時就去世，後來父親再婚，卻在他十一歲時離世。拉斐爾的親人只剩下繼母與叔叔巴托洛梅奧（Bartolomeo）。

為了他到底是跟著老師佩魯吉諾住，還是和繼母住，拉斐爾的叔叔和他的繼母曾經對簿公堂。在這種情況下，大家經常看見拉斐爾在佩魯吉諾的作坊裡因思念母親而落淚。如果說他畫了那麼多聖母像是因為缺乏母愛，把對母親的愛完全寄託在聖母瑪利亞身上，也是可以理解。

《椅中聖母》

然而，事情似乎沒那麼簡單。在拉斐爾畫的聖母像中，很多聖母的形象是很年輕的。舉例來說，拉斐爾很重要的作品《聖母的婚禮》（*The Marriage of the Virgin*），描繪的是聖母瑪利亞當初和約瑟結婚時的場景。畫裡的聖母是位美麗的少女，很顯然不符合一位青少年腦海中的母親印象。

所以另一種說法認為拉斐爾一輩子情人眾多，每次接到畫聖母像的工作時，就把自己的一位情人畫成聖母。換句話說，在林林總總的聖母像裡，有好多位聖母的原型是拉斐爾的情人。有人拿出拉斐爾名作《椅中聖母》（*Madonna della Seggiola*）當作證據，這幅畫中的聖母一點都沒有莊嚴的神性，看起來就像平民百姓家的漂亮姑娘。

評論家進一步指出，畫中聖母的眼神似乎正在「勾引」拉斐爾。說「勾引」也一點都不過分，從拉斐爾的自畫像得知，他長得很帥氣，女人緣自然特別好。評論家說《椅中聖母》是拉斐爾捕捉到了一個女孩子眉目傳情的那一瞬間。有人說拉斐爾是在酒吧看見她的，有人說是在宴會上，還有人說是在梵蒂岡門廊上遇見的，一致的是都認為拉斐爾對這位姑娘一見傾心。但當時手裡沒有紙筆，隨手抄起一塊陶片當筆，拿起一個橡木桶的桶底當紙，幾筆之間就畫了一幅速寫。

評論家憑什麼這樣說呢？因為《椅中聖母》這幅畫是圓形的，在此之前，從來沒有人把聖母像畫成圓的。如果說這番猜測正確，那也就是說，拉斐爾可能經常做這種事。看見哪個女孩子漂亮，就把這個美麗的女孩畫成聖母。

另一方面，確實還有大量的證據證明，拉斐爾的確常把情人畫成聖母。比如說，拉斐爾有過一位很著名的情人——風情萬種的麵包師之女芙納蕾娜。據說，很多幅拉斐爾畫的聖母像，模特兒都是芙納蕾娜。拉斐爾還為她畫了一幅肖像畫，也就是《披紗巾的少女》（*Woman with a Veil*），甚至覺得能用這幅畫挑戰達文西的《蒙娜麗莎》。

不管是寄託對母親的思念，還是用情人權充模特兒，事實上，真正讓拉斐爾畫了那麼多聖母像的關鍵主因，還是文藝復興時期的人對於聖母像的需求大大增加。

為什麼那時對於聖母像的需求那麼高呢？其實教會早期並不把聖母當一回事，從早期的中世紀教堂祭壇畫就看得出來，聖母無非是耶穌降生的一個媒介。一方面說明了中世紀婦女地位較低；一方面也說明了神在中世紀是高高在上的，普通民眾則是如螻蟻般的存在。這樣一來，中世紀的神為了與普通人拉開距離，並不像後來或如今這般強調「神愛世人」，而是強調各種神蹟，比如把水變成酒。神既然高高在上，那麼神是透過人類婦女才誕生這件事，自然要極力淡化。

《金翅雀聖母》

到了文藝復興時期，城市生活一方面提高了婦女的地位，另一方面由於社會上人性的普遍覺醒，教會與時俱進，開始強調神祇身上人性的那一面。聖母瑪利亞做為溝通人與神的媒介，一下子變得重要起來，在民間人氣極高，教堂因此突然需要大量的聖母像。拉斐爾把聖母畫得這麼好，自然是能者多勞。

烏菲茲美術館收藏了一幅著名的拉斐爾聖母像《金翅雀聖母》（*The Madonna of the Goldfinch*）。這幅畫採用典型的三角構圖，中間是聖母，兩邊的兩個小孩是耶穌和聖約翰，畫面整體穩定又協調。

這幅畫乍看就像一幅家庭畫，一點也沒有宗教畫的感覺。畫面背景不再是冷冰冰的神祕背景，而是一片綠茵茵的草地、美麗的花園，彷彿是上流家庭的女主人和自己的孩子在自家花園玩耍，特別溫馨。神的頭頂上必須畫的光環被拉斐爾畫得若有似無，聖母神態優雅地注視著兩個孩子。約翰手裡捧著一隻金翅雀，面向耶穌。這隻金翅雀代表了耶穌將來會登上的十字架，所以被畫在三個人的目光聚焦處，是整幅畫的中心。畫中的耶穌形象同樣相當有意思，他的一隻小腳正輕輕踩在聖母的腳背上，這個小動作幾乎完全掩蓋了神性，透露出濃濃的人性。

《金翅雀聖母》是拉斐爾一五〇七年左右畫的，當時是為了送給一位結婚的朋友。可是大約四十年後，佛羅倫斯發生了地震，把這幅畫震碎了，後來在廢墟裡找到這幅畫時，它已碎成了十七塊。儘管把碎片重新釘在一起，損壞的痕跡還是非常明顯。所以從那時開始，參觀者看到的一直都是複製品。二〇〇八年，義大利藝術品修繕團隊經過整整十年的努力，終於修復了這幅名作，幾百年來各種人為的、拙劣的修復油彩被一點點剝去，顯露出拉斐爾當年繪製的原始模樣，所有的裂紋幾乎完全消失，和剛完成的樣子已經非常接近。在拉斐爾完成這幅畫近五百年後，《金翅雀聖母》終於以真跡在烏菲茲美術館亮相，轟動一時。

烏菲茲美術館裡還有很多名作，無法一一盡述。好比米開朗基羅的《大衛像》全球一共有四座複製品，烏菲茲美術館門口就有一座，還有波提且利的《春》（*Primavera*）、弗朗切斯卡（Piero della Francesca）的《烏爾比諾公爵夫婦畫像》（*The Duke and Duchess of Urbino*）、提香的《烏爾比諾的維納斯》（*Venere di Urbino*）、烏切洛（Paolo Uccello）的《聖羅馬諾之戰》（*Battaglia di San Romano*）等，都有很高的藝術價值。

CHAPTER

10

將藏品數位化：荷蘭國立博物館

身為一家綜合型博物館，荷蘭國立博物館藏品高達二十五萬件。二〇一三年他們做了個重大決定——將所有藏品都做成數位化的高解析圖片，向所有人開放版權。

Het Rijksmuseum Amsterdam

認識了梵蒂岡博物館和烏菲茲美術館，現在讓我們把注意力轉向歐洲大陸另一個重要的國度——低地之國荷蘭，了解一下位於荷蘭首都阿姆斯特丹的荷蘭國立博物館。

一六四八年，在長達八十年的獨立戰爭之後，荷蘭擺脫了天主教和西班牙的統治，成為世界上第一個資產階級共和國。當時的荷蘭是世界上最強大的航海和貿易強國，可以說整個十七世紀都是荷蘭的「黃金時代」，商船數量已經超過歐洲所有國家商船數量的總和，因此被譽為「海上馬車夫」。此外，荷蘭人創立了世界上第一家跨國公司、第一家股份有限公司「荷蘭東印度公司」，並創建了人類歷史上第一家股票交易所。

荷蘭人的經商之風延續到了全球。現今的紐約舊名「新阿姆斯特丹」，正是靠荷蘭人播下的商業種子，後來才發展成為全世界的金融中心。直到今天，荷蘭的鹿特丹還是歐洲最大的煉油中心，擁有荷蘭皇家殼牌集團、飛利浦電子、聯合利華這些世界級巨頭企業，在全球經濟領域雄踞一方。

荷蘭的博物館特別多。據統計，全荷蘭總共有一千多座博物館，博物館分布密度是當之無愧的世界第一，除了本章要介紹的荷蘭國立博物館，還有梵谷博物館、莫里斯宮皇家繪畫陳列館、阿姆斯特丹市立博物館等。首都阿姆斯特丹可謂「博物館之都」，除了上述這些「正經博物館」，還有各種「不正經的博物館」，比如乳酪博物館、音樂盒博物館等，千奇百怪，琳琅滿目。

荷蘭國立博物館就是荷蘭的國家博物館，也被譯為「阿姆斯特丹皇家博物館」，是荷蘭

荷蘭國立博物館夜景

規模最大的博物館。這間綜合型博物館館藏高達二十五萬件，並在二〇一三年決定將二十五萬件館藏全部做成數位化高解析圖片，向所有人開放版權。開放版權不僅意味著大家可以在網路上流覽這些藏品的圖片，還可以下載使用，不會產生任何的版權問題。光從這件事就可看出荷蘭人的開明。

荷蘭國立博物館雖然是一間綜合型博物館，但數量最多的藏品還是美術作品。十七世紀「黃金時代」的荷蘭不僅是經濟強國，更是無庸置疑的美術強國。林布蘭、維梅爾、哈爾斯（Frans Hals）、霍貝瑪（MeindertHobbema）……這些在藝術史上閃耀著光輝的大畫家，他們的作品在荷蘭國立博物館裡都看得到。

荷蘭的藝術之所以在十七世紀呈現井噴式發展，首先要歸功於相對寬鬆的政治環境。荷蘭與強大的西班牙打了整整八十年的仗才打贏，爭取到獨立，讓開放包容的市民階層於焉誕生，很多受到宗教迫害的異教徒藝術家大量逃往荷蘭。因為取得了獨立，荷蘭人很有自信，並直接表現在藝術上，那時歐洲流行的是巴洛克藝術，畫作彌漫著一股貴族氣、宮廷氣，華貴典雅又充滿威嚴。荷蘭此時的藝術創作風氣卻完全不同，和巴洛克風格一比，就像是那個年代的「小清新」。

前面介紹梵蒂岡博物館和烏菲茲美術館時說過，在文藝復興時期，繪畫的主題不是聖母就是上帝，就算人物看上去已經很生活化，題材大部分還是與宗教有關。到了十六、十七世紀，巴洛克藝術畫的主角已不全是上帝或聖母，但多半仍是國王或貴族。

十七世紀的荷蘭畫風則延續十五、十六世紀尼德蘭地區的民族藝術傳統，寫實、純樸，與巴洛克完全不同，主角不是農民就是少女，有時乾脆不畫人，只畫風景，甚至出現了靜物畫，畫一把水壺、幾個水果什麼的。由於這些畫分類細、尺寸小，美術史上稱之為「荷蘭小畫派」。這些畫作不再是為上帝和貴族服務，而是描繪普通大眾的生活，反映普通人的情感和渴望，並開始描繪美麗的大自然，神話和宗教的題材幾乎被拋到九霄雲外。

《夜巡》：偉大的「世界三大名畫」之一

荷蘭國立博物館裡最著名的畫作、鎮館之寶，無疑是荷蘭大畫家林布蘭的偉大作品《夜巡》（*De Nachtwacht*）。如果說參觀西班牙馬德里的索菲亞王后藝術中心是為了欣賞畢卡

《侍女》局部

索的《格爾尼卡》（*Guernica*），去荷蘭國立博物館不看《夜巡》等於白去了。

西方美術史上的作品雖然浩如煙海，但真正能用「偉大」來稱呼的並不多，《夜巡》則當之無愧。曾有人把它和達文西的《蒙娜麗莎》、維拉斯奎茲（Diego Rodríguez de Silva y Velázquez）的《侍女》（*Las Meninas*）放在一起，並稱「世界三大名畫」，重要性可見一斑。

嚴格來說，《夜巡》仍然屬於巴洛克藝術。這幅畫的尺寸是三．六三公尺×四．三七公尺，占據了一整面牆。這幅畫在荷蘭享有國寶級待遇，荷蘭國立博物館不但為它單獨闢建展廳，還蓋了條專屬逃生通道。換言之，如果失火或遇到危險，別的畫都可以不要，《夜巡》必須安全轉移。

有人可能會問，有這麼誇張嗎？要是考慮到這幅畫之前的遭遇，應能理解博物館並非杞人憂天。一九一一年，有名男子在參觀時突然拿出一把做皮鞋用的刀，把這幅畫砍出了一道大口子；一九七五年，一位失業教師用一把麵包刀在這幅畫上連砍數刀；一九九〇年，有人對著畫猛噴酸液，雖然保安人員當下立即清洗，畫作表層還是腐蝕掉一大塊。

《夜巡》多舛的命運，從它一誕生就開始了。

二〇〇七年由馬丁・費里曼（Martin Freeman）主演的電影《夜巡》（*Nightwatching*）講的就是畫家創作這幅畫的故事。按照電影情節，林布蘭在作畫的過程中，發現了這些貌似高貴的民兵們所隱藏的巨大陰謀，並利用《夜巡》這幅畫把陰謀含沙射影地表現了出來。

事實上，自《夜巡》誕生至今，各種類似的推論層出不窮。比如說，畫面中間的隊長法蘭西斯一身黑衣，明顯是撒旦的化身；畫中那個被打了光的小女孩是誰？為什麼畫家要特別突出她？她是不是耶穌的化身？她身上還掛著一隻雞，這是不是神蹟？

實情一點也沒有這麼誇張。一六三〇年，荷蘭的國民衛隊會所擴建，訂購了五幅巨型團體肖像畫裝飾大廳，其中的主畫訂單下給了林布蘭。荷蘭的國民衛隊於十五世紀開始籌組，多半由各城中的精英指揮。到了十七世紀，國民衛隊的軍事職能已不重要，意義卻依然重要，各大城市還保留著，藉以象徵荷蘭人民爭取自由和獨立的光榮。而國民衛隊中的所謂「民兵」，都是城中有頭有臉的人物，經常舉辦宴會、打靶、操練，社交性質類似後來法國的藝術沙龍。

創作《夜巡》之前，林布蘭的人生相當順遂，畫作訂單供不應求之外，他還擁有印刷廠。原本不想接這個訂單，由於出價很高，林布蘭的經紀人（他妻子的叔叔）沒經過他的同意就接了下來。

《夜巡》

民兵們原本以為花了這麼多錢，還找了這麼有名氣的大畫家，最後的成品肯定很棒。哪知一交貨，他們一點也不滿意。那個時代的肖像畫有點類似我們早年在照相館裡拍的照片，特別死板，千篇一律。被畫的人會擺好姿勢站成一排，等著畫家畫。因此在民兵們的腦海裡，林布蘭肯定會把他們畫成一長列，分不出主次，十六個人就像十六尊木偶似的，往長桌一坐即可。

可是一如我們所看到的，林布蘭不是這樣畫的。他設計了一個場景，畫面中的十六個人好像聽到了警報，正準備出巡。畫面正中央，走在前面穿黑色軍裝、披紅色綬帶的是隊長，他正和身旁的副隊長商量對策。林布蘭對這兩個人物著墨最多，並巧妙地利用陰影使畫作變得極其立體，彷彿下一秒人物就會從畫中走出來。其他的民兵呢，有的在填火藥，有的在吹槍膛，有的揮舞著軍旗，畫面錯落有致，人物有主有次，極具層次感、極富戲劇性。

然而，這幅畫讓出錢的民兵們很不爽。在那個年代，畫家是按畫中人和物的數量收錢的，單人肖像多少錢、雙人肖像多少錢、只露個臉多少錢，甚至多畫個花籃、麵包多少錢，都有合約規定。大家都花了一樣的錢，結果有的人顯眼，有的人被擠在後面。也有人在現實生活中是位重要人物，在畫上的位置卻不顯眼；有的人在現實生活中地位較低，在畫中卻很顯眼。

民兵們要求林布蘭重新畫一幅。

林布蘭是個沉迷於藝術的人，在他看來，這幅畫畫得非常好，堅持不重畫。但他為什麼會這樣畫呢？據他自己說，法國國王亨利四世（Henri IV）的遺孀瑪麗・德・梅迪奇（Marie de Médicis）一六二一年曾到荷蘭訪問，《夜巡》畫的是國民衛隊歡迎她訪問阿姆斯特丹的場景，畫裡一眾人物形象的設置無非是為了營造氛圍。比如那個被好多人過度解讀的小女孩，她身上掛的那隻雞並沒有象徵意義，不過是說明小女孩是個小販。小女孩的原型更不是天使，而是照著林布蘭妻子的形象畫的，所以畫了高光，也能讓相對陰暗的畫面左側多一個光源。

但是，民兵們不買帳，和林布蘭對簿公堂。不僅如此，有些民兵到處敗壞林布蘭的名聲，傳播謠言，林布蘭的人生因此發生了重大變化，從聲名遠揚、受人尊敬的畫家，逐漸成為人人攻擊的對象，再也沒人敢找他畫畫了。

當然，不是每位民兵都有怨言。隊長法蘭西斯就挺滿意，畢竟他被畫在最顯眼的位置。後來法蘭西斯當上市長，這幅畫也被移入市政廳。由於原定的懸掛位置空間不夠，當時市政廳工作人員就拿起裁紙刀把畫給裁了。幸虧法蘭西斯曾經找人複製了此畫的縮小版，今日才能見到這幅畫的原始構圖。對比一下更會發現，很多關鍵元素都被裁掉了，破壞了林布蘭想要營造的奇妙空間感。

如今在荷蘭國立博物館的重重保護之下，《夜巡》總算安全了。但當我們在這幅傑作前駐足，尤其是想到這幅畫背後那些故事時，心情可能仍然難以名狀，五味雜陳。

《倒牛奶的女僕》：維梅爾與「荷蘭小畫派」代表作

《夜巡》描畫的人物身分多少有點特殊，荷蘭國立博物館另一幅鎮館之寶，維梅爾（Johannes Vermeer）《倒牛奶的女僕》（*The Milkmaid*）的畫中主角卻連民兵都不是，只是個普通的女傭。

維梅爾生於十七世紀，死於十七世紀，是道道地地活在荷蘭「黃金時代」的人，也是「荷蘭小畫派」代表人物。他最有名的作品是《戴珍珠耳環的少女》（*Girl with a Pearl Earring*），此作收藏在海牙。荷蘭國立博物館收藏的這幅《倒牛奶的女僕》雖然沒有《戴珍珠耳環的少女》那麼多故事，卻同樣是畫家重要的代表作之一，直到今天仍然魅力十足。

維梅爾是十七世紀著名的風俗畫派代表畫家，畫的都是他生活周遭出現的普通人，真實再現了十七世紀荷蘭人純樸、恬靜、美好的日常生活。《倒牛奶的女僕》是一幅一眼看去就令人心情愉悅的作品。這幅圖的構圖並不複雜，簡樸又整潔的廚房裡，一位健壯的女傭拿著一只牛奶壺往盆子裡倒牛奶，神態安詳。桌上放著麵包和來自中國的瓷器，廚房牆上掛著一個籃子和一盞馬燈，地上擱著一個暖腳爐。透過這些刻畫，你我都能立刻體會到那種富足、安詳、與世無爭、沒有戰亂、沒有動盪的生活。

可以說，在十七世紀，如果不是在荷蘭這塊相對自由的國土上，絕不會出現這樣的作品。

《倒牛奶的女僕》

如今，荷蘭畫家的畫作在世界上獲得廣泛收藏，很多博物館都收藏了維梅爾、林布蘭、哈爾斯等人的作品。之所以如此，主要是因為荷蘭人以商業立國，畫作在荷蘭不僅是藝術品，更是商品。既然是商品，就可以買賣。

人類歷史上第一次金融危機——鬱金香危機——就是在十七世紀早期的荷蘭爆發。那是一六三七年，一株名為「永遠的奧古斯都」的鬱金香被炒到了六、七百盾天價。這個價格當時可以在歐洲任何一個城市買下一棟豪宅。有些敏銳的商人嗅到了鬱金香泡沫即將破滅的氣息，想改用其他東西來接盤，什麼東西最合適呢？藝術品。

而這可能就是像林布蘭這些藝術家活得有滋有味的主因——連倒牛奶的女僕都那麼安詳，因為大家口袋裡都有錢。據說到了一六四一年，某位鹿特丹市民家裡居然囤積了三千件畫作。囤這麼多做什麼？賣。正因如此，荷蘭的畫作在世界各地都有，大部分作品不在荷蘭境內也不足為奇。

關於「荷蘭畫派」或「荷蘭小畫派」，有些評論者認為此畫派充滿市井風情，有小情調，流於享樂主義，展現出小市民不思進取的一面。事實上，荷蘭國立博物館不只這些美麗的畫作，還有大量的十七世紀火槍、大炮、英荷戰爭中繳獲的戰利品和英國徽章、強大的海上商船和戰船模型等。「海上馬車夫」不是只有平和的市民生活，也有堅船利炮，是標準的強盛商業帝國。

CHAPTER 11

大師傳奇：梵谷博物館

這裡收藏了荷蘭歷史上乃至世界歷史上最重要的藝術家之一——梵谷的二百多幅畫作，透過這些作品，我們可以直接了解這位傳奇大師的一生和他所處的時代。

Van Gogh Museum

離荷蘭國立博物館不遠處矗立著一棟十分現代化的建築，這座美術館專門收藏一位藝術家的作品，也就是荷蘭歷史上乃至世界歷史上最重要的藝術家之一——文森．梵谷。

十九世紀的荷蘭距離十七世紀的「黃金時代」已經過去了近二百年。隨著昔日海洋霸主的地位每況愈下，荷蘭的藝術市場也一天不如一天，梵谷就生活在這樣的十九世紀。

不過，就在荷蘭旁邊，此時的巴黎成了整個十九世紀的國際藝術中心，各種藝術新思潮一波接著一波出現，更新得非常快，新古典主義、浪漫主義、現實主義，令人眼花撩亂。這種快速更新一直持續到十九世紀六〇年代，名為「印象派」的畫派突然崛起，為整個西方現代美術史帶來了一場史無前例的風暴。

梵谷生活的年代正是印象派崛起的年代，很多人認為他也是印象派畫家，這個說法並不準確。嚴格來說，梵谷應該屬於後印象派。而所謂的後印象派，恰恰是反思和批判印象派的。

從寫實到印象

簡單地說，西方繪畫可以概分為兩大流派，古典派和反古典派。所謂古典，最根本的基礎就是以追求理性為宗旨。比如文藝復興時期及之前的那些畫，追求的是事無巨細，忠實客觀地記錄事物，愈寫實愈好、愈詳細愈好。最典型的代表是「油畫之父」、尼德蘭畫家揚．

梵谷博物館

范・艾克，其作品如《阿諾菲尼夫婦》（*Arnolfini Portrait*）、《羅林大臣的聖母》（*Madonna of Chancellor Rolin*）等，無不講究細節，注重描繪具體的事物和人物，追求纖毫畢現。

然而，寫實的前提在於被描繪的物件必須是靜態的。好比擺一顆蘋果在桌子上，有素描基礎的人很快就能畫出這顆蘋果。但世間萬物並非靜止不動，如何表現物體動起來的感覺呢？前面介紹過的波提且利《維納斯的誕生》，就已經有動起來的感覺。等到卡拉瓦喬的時代，繪畫已經不止於寫實，畫家們不再滿足於表現靜態事物，而是強調或設計戲劇性衝突，從畫人、物、貓、狗，變成畫場景、故事、鏡頭。這種趨勢愈來愈明顯，林布蘭更是大量使用明暗法，利用光影的變化來暗示畫中的場景是動態的。名作《夜巡》表現的就是某一個被畫面固定住的動態瞬間。

而印象派之所以在當時造成如此巨大的感官衝擊，是因為實在「動」得太厲害了。印象派，顧名思義，畫的就是一種「印象」。莫內的《日出・印象》（*Impression, soleil levant*）甫一問世，《喧噪》週刊記者勒魯瓦便評價：「這幅畫是對美

《阿諾菲尼夫婦》

《日出．印象》

與真實的否定，只能給人一種印象。」他說的一點也沒錯，印象派畫家追求的正是某種印象。他們的畫作具體表達了一種此前人們想都不敢想的新觀點——美不一定真實，真實的東西未必美。舉例來說，水面上的波光、人和事物在霧氣中若隱若現的樣子，雖然確實模模糊糊的，但展現出一種別樣之美。

「後印象派」又是什麼呢？簡單地說，就是「印象之後的印象」。比如說在生活中，某一個景色、某一個瞬間給我們留下了很深的印象，久久無法忘懷。但隨著時間的推移，這些印象在我們腦海裡的模樣已經不是當初第一眼看到的樣子了，很可能更加美好，也可能更加灰暗。換句話說，今天我們說的「腦補」，差不多就是所謂的後印象派。印象是暫態的，一瞬間之後煙消雲散；「後印象」則是持久的，甚至會愈來愈深刻。

畫畫是從來沒體會過的快感

梵谷的家族有精神病史。梵谷雖是長子，但他之前還有個不幸夭折的哥哥，而梵谷的生日正好是他哥哥的忌日。因此，梵谷出生以後，父母便用夭折長子的名字為他取名，叫文森（Vencent）。到了該上學的年紀，父母對梵谷期望很高，前後兩次把他送入高級的寄宿學校就讀，他卻罹患抑鬱症，只好輟學。梵谷的伯父是當時歐洲最大畫廊古皮爾藝術公司的董事，便讓他進入古皮爾藝術公司當學徒。

一開始梵谷做得還不錯，伯父甚至打算安排他接班，把他派到倫敦開展分店業務。沒想到梵谷瘋狂愛上了房東的女兒，情緒大爆發，介紹他進公司的伯父這時生了病，梵谷的上司看他不爽，總是排擠他。無奈之下，梵谷只好辭職回家。不久後，他重返倫敦並開始攻讀神學，在一個偏遠地區當見習牧師，由於天天領著礦工找礦場老闆爭取權利，遭到抵制，只好再度回家。

後來，梵谷瘋狂愛上了他的表姐。有一次還跑到舅舅家，把手伸進壁爐的火裡，說表姐要是拒絕見他，「我要這皮囊還有何用」。全家人都認為梵谷瘋了。梵谷和父親大吵一架，跑去海牙散心。

但他到海牙後，經濟來源怎麼辦？這就不得不提梵谷一生中的重要人物——弟弟西奧。西奧是個好弟弟，也是梵谷一生唯一的知己，不但一輩子供養他，在梵谷離開人世半年多後，自己也因緊張和悲痛過度而離開人世。今天我們看到的兄弟通信裡，有九十%內容都是梵谷找西奧要錢。好在西奧接手了梵谷之前在伯父那兒沒做成的工作，並做得風生水起，收入穩定，才能一直寄錢給梵谷。

一個快三十歲的人，一事無成，總得做點什麼吧？於是梵谷開始畫畫。他突然發現，畫畫帶來的快感是自己此前從來沒有體會過的，美術史上「可怕的怪獸」之一就這樣被釋放了出來。

沒多久，梵谷的父親去世，全家人除了弟弟西奧都指責梵谷，說是他的不務正業氣死了父親。在父親的葬禮上，梵谷安慰親友時說：「死很難，但活著更難。」後來的事實證明，這句話恰恰是梵谷一生的真實寫照。

「死很難，但活著更難」

梵谷博物館收藏了梵谷繪畫黃金時期最珍貴的兩百多幅畫作。不過有些名作不在這裡，比如那幅最出名的《星夜》（*De sterrennacht*）就收藏在紐約的現代藝術博物館（Museum of Modern Art，簡稱 MoMA）。

一八八六年，梵谷前往巴黎和弟弟西奧一起住了一段時間。這段時間裡，梵谷開始真正地接觸到印象派，和高更、塞尚等人混得很熟。他在畫廊當學徒時也經常接觸繪畫，但那時

《吃馬鈴薯的人》

他對印象派並不感興趣。開始畫畫以後，他對印象派仍舊不感興趣。梵谷博物館收藏的梵谷早期作品中，最具代表性的是《吃馬鈴薯的人》（*The Potato Eaters*），畫的是礦工家庭的生活，是梵谷根據當初在礦區當見習牧師時的回憶所畫。誰都看得出來，這幅畫與印象派一點關係都沒有。

那麼，梵谷後來為什麼會轉向印象派呢？有種說法認為西奧當時身為畫廊經理，已經意識到印象派將來一定會紅，就和哥哥商量，不如兩人聯手，弟弟供養哥哥，哥哥努力畫畫主攻印象派，等印象派紅起來，弟弟再負責炒作包裝。

現在看這說法不能說一點道理都沒有，但有好多重要的地方站不住腳。第一，兄弟倆誰也沒活到印象派崛起那一天。第二，印象派絕不是拿起顏料瞎塗一氣。因此最關鍵的原因恐怕是，當時很多人都已經預料到印象派會成功，畢竟那時正值第一次工業革命遭遇危機，印象派畫的是「印象」，看不出明顯的政治立場，所以大

《向日葵》

受歡迎。而這很可能就是梵谷轉向印象派的原因。

如今在梵谷博物館裡，最有名的一件作品是《向日葵》（*Sunflowers*）。

一八八八年，梵谷離開巴黎，來到法國東南部的亞爾（Arles），展開了他的藝術巔峰期，《向日葵》就是這一時期的代表作。梵谷一生畫過十一次向日葵，現今保存的《向日葵》真跡有六幅，梵谷博物館裡的這一幅只是其中之一。

梵谷早期的創作大部分都是暗色調，而且初學畫畫時，他什麼都畫，建築、人物、靜物、風景。來到亞爾以後，他的繪畫技法比較成熟了，而且明顯受到印象派的影響。向日葵這種植物特別固執，一生只做一件事，就是追太陽，花期又短，屬於典型的「燦爛又短命」。從後來梵谷身上發生的事來看，他那麼熱衷於畫向日葵，可能並非偶然。

梵谷畫畫最大的特色是厚用油彩。普羅旺斯大片的花田、明媚的陽光、一望無盡的麥浪也許刺激了他的靈感，讓他用起顏料來非常瘋狂。有人說在印象派和後印象派畫家裡，莫內最大膽、雷諾瓦最生動、竇加（Edgar Degas）善於捕捉瞬間、秀拉（Georges-Pierre Seurat）善於捕捉色點，梵谷則善於釋放色彩。

梵谷博物館裡，滿牆都是那種充滿了活力，甚至有點刺眼的色彩。除了《向日葵》，梵谷另一幅名作《麥田群鴉》（*Wheat Field with Crows*）也非常有代表性，金黃的畫面簡直動人心魄。

梵谷一生特別偏愛幾種顏色。黃色，包括黃赭色、鉻黃色和鎘黃；紅色，包括鉻橙色、

《麥田群鴉》

朱紅色；藍色，包括普魯士藍、深藍色；還有白色、綠色、黑色等。這些顏色有一個特點，就是彼此之間往往是互補關係，比如藍色和黃色的對比強烈，能讓畫面顯得非常明亮。梵谷生活的年代得益於工業和化學發展，顏料價格已大幅下降，但還是非常昂貴。直到十九世紀三〇年代，天然群青的價格仍舊高達每盎司*八幾尼，一幾尼相當於一．〇五英鎊。梵谷如此大量使用顏料，西奧的經濟壓力可想而知。

梵谷其實也有收入，不過他太會花錢，西奧每個月還是會寄大約一百五十法郎給他。當時西歐社會的普通人家一個月有一百法郎的收入就很了不起了。

除了大量使用顏料，據說梵谷還有一個毛病——吃顏料。

這不是說梵谷拿顏料當飯吃，而是他有品嘗顏料的習慣。那個時代還沒有今天這種一管管的油畫顏料，大部分顏料都是畫家自己調的，配方也成了每個畫家的獨門祕方。

＊一盎司約為二十公克。

《黃房子》

據說梵谷就靠品嘗顏料來看是否調到了自己想要的狀態，這相當致命。我們都知道大多數顏料是有毒的，比如梵谷最愛的鉻黃，其實就是鉻酸鉛，吃下去會導致神經紊亂，很可能大大加劇了梵谷的精神症狀。

祖傳精神病，染過梅毒，再加上顏料的毒染，這些都讓梵谷的瘋狂與日俱增。這種瘋狂也一步步把梵谷引向毀滅。

梵谷博物館裡有一幅畫家高更（Eugène Henri Paul Gauguin）的自畫像，是一八八八年梵谷送自畫像給高更之後，高更回贈的。

高更的家境很好，股票也炒得非常好，卻在一八八二年鬧股災時全賠了進去。梵谷到亞爾後，突發奇想，想自創個「南方畫派」，而他第一個想邀請的就是高更。梵谷並向高更承諾，會請西奧也資助他。高更一想到有人給錢，管吃管住，欣然答應。梵谷也很高興，因為高更一直是他的偶像。梵谷在亞爾租下著名的「黃房子」，供自己和高更居住。這棟房子也被

《高更的椅子》

梵谷畫成了《黃房子》（*The Yellow House*），這幅畫如今收藏在梵谷博物館。

不過，這兩個人的相處並不對等。高更隨便說幾句話就把梵谷感動得熱淚盈眶，梵谷近乎瘋狂的熱情表現則讓高更倍感壓力，後來兩人甚至連誰坐哪把椅子都分得一清二楚。梵谷博物館也收藏了梵谷畫的《高更的椅子》（*Paul Gauguin's Chair*）。這種一方絕對強勢，另一方絕對弱勢的友誼，對雙方都是種折磨。到最後，梵谷甚至用酒杯砸高更，高更覺得不知道什麼時候會被梵谷襲擊，非常擔心。有一天，高更出門，一回頭發現梵谷居然拿了把刀在後面跟著。梵谷雖然沒有傷害高更，卻在回房間後割下了自己的左耳。

就這樣，一八八九年，來到亞爾僅僅一年後，梵谷住進了精神病院。他在那裡畫下著名的《星夜》，畫面完全以藍色為基調。對比於《向日葵》滿篇燦爛得刺眼的金黃，《星夜》給人的感覺彷彿畫家的生命火花也燃燒得乾乾淨淨。果不其然，一八九〇年七月，梵谷因槍擊身亡。

很多年以來，大家都認為梵谷是在一片金黃麥浪裡自殺的。但根據後來的研究證實，梵谷其實是被「一些年輕的男孩意外打中」＊。為了什麼呢？有種說法是，非常天真的梵谷認為，若遭受槍擊就能出名，他的畫就能獲得世人的認可了。

梵谷大可不必這麼心急。一八八六年，大洋彼岸的紐約展覽中，印象派已一炮而紅，只不過梵谷並不知道。很快地，印象派和後印象派迎來了大爆發，像梵谷這麼有話題的畫家，自然非常吸引畫商。很多畫商開始炒作，買低賣高，再高價回購，最後捂盤惜售，甚至大編故事、傳播流言，用盡花招。靠著畫商們不遺餘力地大肆炒作，梵谷的身價直線飆升。而在針對梵谷的炒作中，還有一股奇妙的勢力來自日本。由於梵谷深受日本繪畫影響，日本畫商抓住這個話題不放，一次次瘋狂推高梵谷畫作的價格。

梵谷對於藝術的最大貢獻是在無意中開闢了一種全新的繪畫風格，直接啟迪了後來野獸主義這類新興美術流派。必須很公平地說，梵谷是位藝術家，但他不是什麼神，他只是個神經質、一生都想讓別人認可自己價值的孤獨的人。

＊史蒂文．奈菲，葛列格里．懷特．史密斯，《梵谷傳》（*M*）。沈語冰等，譯，南京：譯林出版社，二〇一五年十月第一版：843。

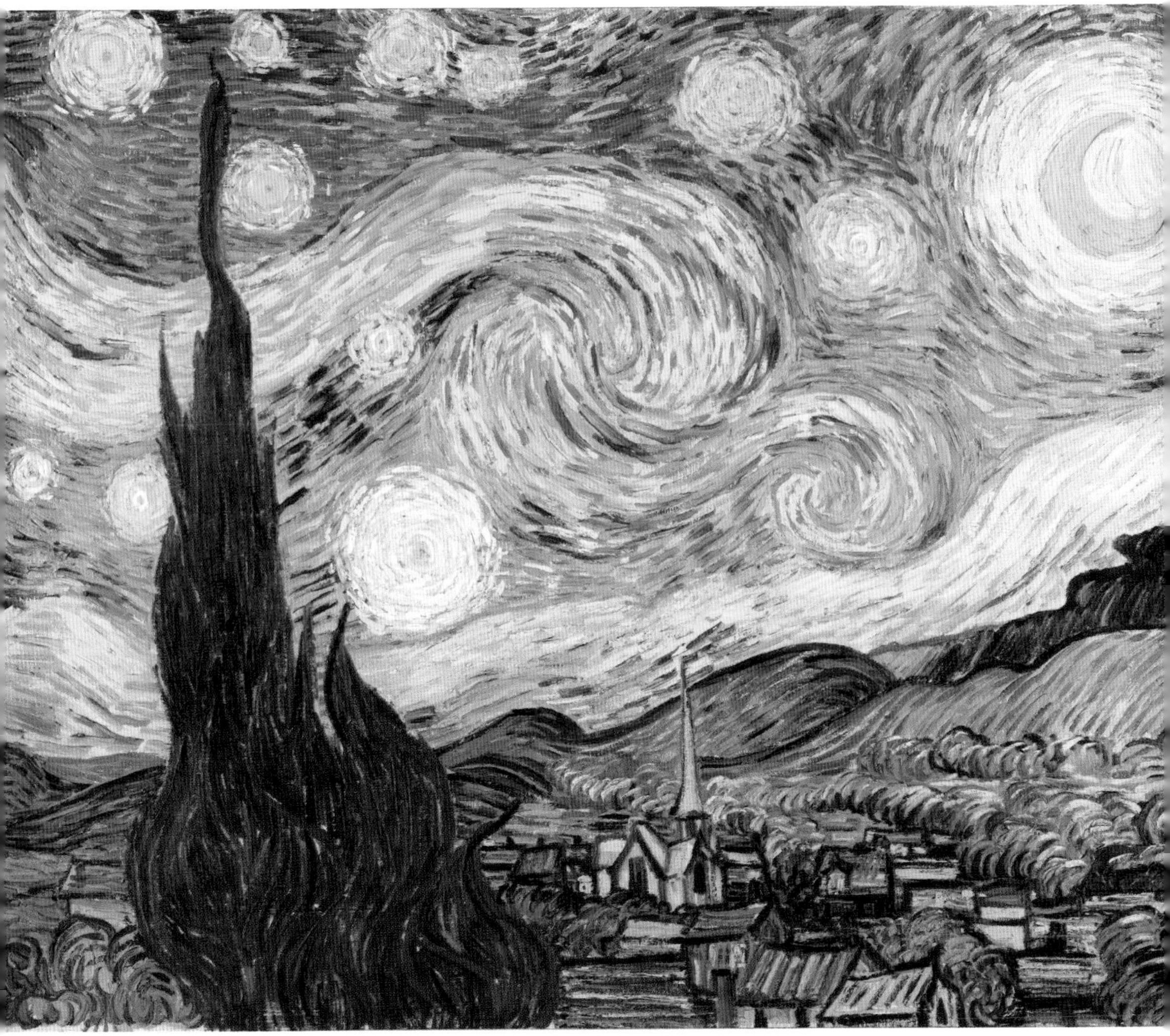

《星夜》

圖片版權聲明

以下頁面來自公有領域：

23頁、36頁、39頁、49頁、50頁、72頁、75頁、81頁、83頁、92頁、100頁、117頁、118頁、120頁、121頁、127頁、128頁、130頁、133頁、139頁、143頁、145頁、152頁、159頁、162頁、165頁、167頁、168頁、169頁、171頁、173頁、174頁、175頁、181頁、183頁、185頁、188頁、191頁、193頁、199頁、201頁、205頁、210頁、211頁、214頁、215頁、217頁、218頁、219頁、221頁

19頁　由Luke Massey & the Greater London National Park City Initiative - 本檔案提取自另一個檔案：Bloomsbury, London (aerial).jpg, CC BY 2.0, https://commons.wikimedia.org/w/index.php?curid=77112807

21頁　由Pearson's Magazine - Pearson's Magazine of 1909, Public Domain

22頁　由大英博物館，CC BY-NC-SA 4.0, https://research.britishmuseum.org/join_in/using_digital_images/using_digital_images.aspx?asset_id=822849001&objectId=124664&partId=1

27頁　由© Hans Hillewaert, CC BY-SA 4.0, https://commons.wikimedia.org/w/index.php?curid=3153928

31頁　由BabelStone - Own work, CC BY-SA 3.0, https://commons.wikimedia.org/w/index.php?curid=18869637

33頁　By Nickmard Khoey - https://www.flickr.com/photos/nickmard/28655531711/in/set-72157607303096557/, CC BY-SA 2.0, https://commons.wikimedia.org/w/index.php?curid=4822947

43頁　由Benh LIEU SONG - 自己的作品，CC BY-SA 3.0, https://commons.wikimedia.org/w/index.php?curid=1021356

46頁　由Hteink.min - commons:File:Louvre Pyramid.jpg, CC BY-SA 3.0, https://en.wikipedia.org/w/index.php?curid=38292385

55頁　由Mattgirling - File:MG-Paris-Aphrodite of Milos.jpg, CC BY 3.0, https://commons.wikimedia.org/w/index.php?curid=39538073

61頁　由By Lyokoï88 - Own work, CC BY-SA 4.0, https://commons.wikimedia.org/w/index.php?curid=39152792

65頁　由Carlos Delgado, CC BY-SA 3.0, https://commons.wikimedia.org/w/index.php?curid=21594049

70頁　由Jean-Christophe BENOIST - Own work, CC BY 3.0, https://commons.wikimedia.org/w/index.php?curid=19277095

77頁 By Auguste Rodin, CC BY-SA 3.0, https://commons.wikimedia.org/w/index.php?curid=29510

79頁 由 Roland zh - Own work, CC BY-SA 3.0, https://commons.wikimedia.org/w/index.php?curid=9034360

87頁 由 Another Believer - 自己的作品，CC BY-SA 4.0, https://commons.wikimedia.org/w/index.php?curid=53647742

88頁 由 Mlogic - 自己的作品，CC BY-SA 3.0, https://commons.wikimedia.org/w/index.php?curid=16028177

96頁 由 Siyuwj - 自己的作品，CC BY-SA 4.0, https://commons.wikimedia.org/w/index.php?curid=51271091

103頁 由 Siyuwj - 自己的作品，CC BY-SA 4.0, https://commons.wikimedia.org/w/index.php?curid=51416884

107頁 由 Saad Akhtar from New Delhi, India - Flickr.com - image description page, CC BY 2.0, https://commons.wikimedia.org/w/index.php?curid=345743

126頁 由 I, Latinboy, CC BY-SA 3.0, https://commons.wikimedia.org/w/index.php?curid=3190951

132頁 由 Jason22 - 自己的作品，CC BY-SA 4.0, https://commons.wikimedia.org/w/index.php?curid=59252728

137頁 由 Wiiii - 自己的作品，CC BY-SA 3.0, https://commons.wikimedia.org/w/index.php?curid=9040491

141頁 由 Kakidai - 自己的作品，CC BY-SA 4.0, https://commons.wikimedia.org/w/index.php?curid=76106919

146頁 由 Daderot - 投稿者自身による作品，CC0, https://commons.wikimedia.org/w/index.php?curid=31396630による

147頁 由 I, Sailko, CC 表示-継承 3.0, https://commons.wikimedia.org/w/index.php?curid=19819384による

151頁 由 Daderot - 投稿者自身による作品，CC0, https://commons.wikimedia.org/w/index.php?curid=31399338による

156頁 © User:Colin / Wikimedia Commons, CC BY-SA 3.0, https://commons.wikimedia.org/w/index.php?curid=22120484

157頁 由 Rhodians Agesander, Athenodorus and Polydorus - Jean-Christophe BENOIST (2007), CC BY 2.5, https://commons.wikimedia.org/w/index.php?curid=2557209

161頁左 由 Jörg Bittner Unna - 自己的作品，CC BY 3.0, https://commons.wikimedia.org/w/index.php?curid=56633968

161頁右 由 Jörg Bittner Unna - 自己的作品，CC BY-SA 3.0, https://commons.wikimedia.org/w/index.php?curid=38984688

179頁 由 Michelle Maria, CC BY 3.0, https://commons.wikimedia.org/w/index.php?curid=57766732

197頁 由 Diego Delso, CC BY-SA 4.0, https://commons.wikimedia.org/w/index.php?curid=49956045

209頁 由 Warrox, CC BY 2.5, https://commons.wikimedia.org/w/index.php?curid=544879

ACROSS 048

超級導覽員趣說博物館

作　　者—河森堡
主　　編—邱憶伶
責任編輯—陳詠瑜
行銷企畫—陳毓雯
封面設計—海流設計
內頁設計—張靜怡

董 事 長—趙政岷
出 版 者—時報文化出版企業股份有限公司
一〇八〇一九臺北市和平西路三段二四〇號三樓
發行專線—（〇二）二三〇六—六八四二
讀者服務專線—〇八〇〇—二三一—七〇五
（〇二）二三〇四—七一〇三
讀者服務傳真—（〇二）二三〇四—六八五八
郵撥—一九三四四七二四時報文化出版公司
信箱—一〇八九九臺北華江橋郵局第九九信箱

時報悅讀網—http://www.readingtimes.com.tw
電子郵件信箱—newstudy@readingtimes.com.tw
時報出版愛讀者粉絲團—https://www.facebook.com/readingtimes.2
法律顧問—理律法律事務所　陳長文律師、李念祖律師
印　　刷—金漾印刷有限公司
初版一刷—二〇一九年十二月二十日
初版二刷—二〇二一年十月四日
定　　價—新臺幣三八〇元
（缺頁或破損的書，請寄回更換）

時報文化出版公司成立於一九七五年，
一九九九年股票上櫃公開發行，二〇〇八年脫離中時集團非屬旺中，
以「尊重智慧與創意的文化事業」為信念。

超級導覽員趣說博物館／河森堡著.
-- 初版. -- 臺北市：時報文化, 2019.12
224面；17×23公分. --（ACROSS系列；48）
ISBN 978-957-13-8036-0（平裝）

1. 博物館

069.8　　108019385

ISBN 978-957-13-8036-0
Printed in Taiwan